SANS NOM NI BLASON

L'auteur

Jacqueline Mirande est née dans le Bordelais. Elle a passé son enfance et vit encore, en été, dans ce qu'on appelle « la palude » girondine, pays plat, de vent d'ouest et de pluie où les vignes côtoient des prés souvent inondés l'hiver. Après des études d'histoire à Paris, elle épouse un marin et fait de nombreux voyages à bord de différents pétroliers, du golfe Persique au Texas et de l'Australie au Japon. Elle commence alors à imaginer des histoires, pour se distraire, au cours de longues traversées entre ciel et eau ! De retour à Paris, elle les écrit. Ainsi naissent *Victoire*, *Isabel de la dérision*, *Au risque de vivre*, *À l'ouest, un cavalier*, romans historiques ou imaginaires. *Étranger, d'où viens-tu ?* écrit en collaboration avec son frère, est porté en feuilleton à la télévision.

Du même auteur, chez Pocket Jeunesse :

Le cavalier
Les bâtisseurs de Notre-Dame

Jacqueline MIRANDE

Sans nom ni blason

Ce livre a été publié pour la première fois en 1986
aux éditions Nathan dans la collection « Arc En Poche ».

Pour Guillaume

Loi n° 49-956 du 16 juillet 1949 sur les publications
destinées à la jeunesse : mars 1997.

ISBN 978-2-266-14338-7

Impression réalisée par

68560 - La Flèche (Sarthe), le 01-06-2012
Dépôt légal : mars 1997
Suite du premier tirage : juin 2012

Imprimé en France

12, avenue d'Italie

75627 PARIS Cedex 13

CHAPITRE PREMIER

L'ANNEAU

Arnaud de Craon se tenait immobile, yeux mi-clos, dans la lumière de l'aube d'été. L'air était frais et vif, un premier chant d'oiseau montait sous le premier soleil. Un reste de brume flottait le long du cloître de la nouvelle abbaye dont il venait d'être nommé prieur et dont les bâtiments se dressaient devant lui, groupés en carré, certains encore inachevés.

C'était aux confins de la grande lande, à l'une des extrémités du pays de Graves aquitain, juste à l'opposé du monastère de la Sauve où Arnaud de Craon avait vécu ces vingt dernières années et dont il gardait la nostalgie.

De la chapelle neuve, montait le chant des moines. L'office de laudes commençait.

Arnaud de Craon s'apprêtait à les rejoindre, quand un tapage, venu de la porterie, l'arrêta. Il s'avança vivement et tomba sur un début de pugilat entre le frère portier et un grand garçon mince mais vigoureux, l'un s'efforçant d'empêcher l'autre d'entrer. Tous deux vociféraient.

Le prieur fronça le sourcil : que faisait ici Guillaume, à cette heure, et à plus de sept lieues du clos de la Taugue où il était serf? Arnaud de Craon connaissait Guillaume depuis dix-huit ans. Depuis ce matin de janvier 1130 où, jeune frère cellérier à l'abbaye de la Sauve, il l'avait trouvé : un petit enfant d'à peine quelques mois, empaqueté de langes, posé au creux du mur extérieur du monastère. Là où les moines plaçaient le pain et l'eau destinés aux pèlerins égarés, ou qui ne voulaient pas entrer. Il l'avait recueilli, lui avait donné un nom – Guillaume –, s'était entremis pour qu'une femme-serve d'un clos voisin, la Guiraude, allaite, avec le sien, cet enfant abandonné. Peu à peu, il s'y était attaché. Lorsqu'il avait changé de monastère, il lui avait été pénible de s'en séparer.

L'arrivée du prieur avait fait le calme. Le frère portier, penaud, restait là, tête basse, bras ballants. Mais Guillaume, lui, s'était redressé et, dans sa colère, cria presque :

– Il me défendait d'aller vers vous, prieur !

– Vous déranger à cette heure matinale ! protesta frère Benoît.

Arnaud de Craon l'apaisa, d'un geste de la main :

– C'est bien, frère Benoît, c'est bien. Laisse-moi avec ce garçon !

Tout en parlant, il examinait, d'un air soucieux, le visage que Guillaume levait vers lui : une entaille profonde barrait le front, une autre balafrait la joue et des traînées de sang avaient séché le long du nez, de la bouche et du cou.

– Qui t'a fait ça ? demanda le prieur d'un ton sévère.

Le garçon répondit sans baisser les yeux :

– Un coup de fouet !

– Je l'avais compris ! Je t'ai demandé qui t'a fait ça et non quoi !

Guillaume parut hésiter une seconde puis se décida :

– Le comte Bérard.

Il ajouta d'une voix plus sourde :

– Le maudit !

Arnaud de Craon ne releva pas l'épithète :

– Et tu t'es enfui ? Tu ne connais donc pas l'obligation faite à tout serf de demeurer sur la terre de son seigneur sans la quitter jamais ni de jour ni de nuit ?

– Je la connais !

– Et pourtant tu es ici ! À plus de sept lieues du domaine du comte Bérard ! Sais-tu quelle peine tu encours ?

– Si j'étais resté, il m'aurait fait pendre !

Arnaud de Craon fronça les sourcils :

– Pour pendre un homme, fût-il serf, il faut

une raison grave. Qu'avais-tu fait, toi, pour provoquer la colère du comte ?

Le garçon garda le silence. Arnaud insista :

– Bérard est ton seigneur. Tu es lié à lui autant qu'à sa terre et tu lui dois obéissance.

– Je le sais et je m'y suis toujours efforcé mais, lui me doit protection, en échange. Appelez-vous protection, prieur, les coups de fouet ?

Dans le visage entaillé, les yeux grands et noirs brillaient de haine. Arnaud de Craon demanda plus doucement :

– Tu ne m'as pas répondu : pourquoi voulait-il te pendre ?

– C'est long à expliquer...

Il eut un geste découragé qui contrastait curieusement avec la vivacité de sa voix :

– Et c'est un long chemin aussi, pour venir depuis la Sauve. J'ai marché toute la nuit sans me reposer.

– Et sans rien manger non plus ?

– Pas depuis hier matin, avant de commencer la journée de moisson.

Le prieur gronda :

– Tête dure tu es né, tête dure tu resteras ! J'aurais dû te nommer Pierre au lieu de Guillaume quand il a fallu te trouver un prénom !

Sous la rudesse de la voix, passait une tendresse. Guillaume sourit, autant des yeux que des lèvres, avec un tel élan que le visage fatigué du prieur s'éclaira :

– Assieds-toi là. Je vais te chercher à manger !

Il revint, portant une tranche de pain gris, un morceau d'anguille fumé et un bol en bois plein de soupe chaude. Il les posa devant Guillaume :

– Mange !

Lorsqu'il eut terminé, il ordonna :

– Et maintenant, montre ces coupures ! Que je les soigne !

Il commença à nettoyer avec douceur le front à vif, la joue entaillée, et Guillaume se cramponnait au bois de l'escabeau pour ne pas gémir.

– Je ne te mépriserai pas, si tu cries, dit Arnaud de Craon. J'ai vu des chevaliers d'une grande bravoure pleurer de douleur comme de petits enfants, d'autres hurler pendant des heures. J'ai vu d'affreuses blessures et d'affreux spectacles, tous nés de la guerre. C'est la malédiction suprême, le pire fléau !

– Je ne vous comprends pas, prieur, fit Guillaume entre deux contorsions, car l'emplâtre d'herbes et d'onguent qu'Arnaud de Craon posait sur ses entailles le brûlait cruellement. J'aime me battre ! Si, au lieu d'être serf, j'étais un chevalier...

– Que ferais-tu ?

– Je courrais le monde ! Je ne resterais pas sur mes terres comme Bérard-le-Couard, Bérard-le-Lièvre ! Je serais déjà parti avec le roi Louis et la reine Aliénor, notre duchesse, pour combattre les infidèles en Terre sainte !

Le prieur eut un léger sourire et ne répondit pas.

– Après tout, reprit avec fougue Guillaume, mon père était peut-être chevalier ou baron ! Qu'en sait-on ? La Guiraude m'a souvent dit que, lorsque vous m'avez trouvé, je portais des langes de fine toile et qu'un galon tout brodé les bordait !

Arnaud de Craon continuait à garder le silence, mais son visage était devenu pensif tandis que Guillaume poursuivait, dans une sorte de fièvre :

– Écoutez-moi ! Parfois je suis porté par une force étrange à faire des actes qui semblent insensés pour un serf ! Ainsi, hier, quand Bérard a levé son fouet sur moi, j'aurais dû courber le dos. Je n'ai pas pu. J'ai saisi l'épieu que je venais d'aiguiser, je l'ai lancé de toutes mes forces et il est entré dans le ventre du cheval de Bérard, et Bérard a roulé à terre. Et moi, j'ai éclaté de rire ! Est-ce là le geste d'un serf ?

– Parce que tu crois que les serfs ne connaissent pas la révolte ?

– Si, admit Guillaume avec un peu de gêne. Ce n'est pas ce que je voulais dire mais que, parfois, je me sens différent ! Et les filles du domaine le pensent. Savez-vous comment elles me nomment, entre elles ? Le chevalier !

– Par moquerie !

– Non ! Leur bouche, peut-être, se moque mais pas leurs yeux. Ils sont doux et tendres lorsqu'ils me regardent.

C'était vrai, songeait le prieur, qu'il avait une façon différente des autres de se tenir droit, de regarder les gens en face, sans baisser ses yeux noirs ni ciller, de porter, l'été, ses chemises de gros chanvre rapiécé, l'hiver, son surcot de laine râpeuse d'une manière qui frappait. Et puis, il était grand et large d'épaules dans un pays aux garçons vifs et lestes mais de petite taille et de carrure étroite. Les filles avaient l'œil et ne s'y trompaient pas !

Sur sa lancée, Guillaume poursuivit.

– Et je vais vous dire, prieur, elles me préfèrent à Bérard, tout comte qu'il est !

Arnaud de Craon eut une moue :

– Est-ce une telle victoire ? Bérard n'est ni bien beau, ni bien aimable !

Le visage de Guillaume se durcit, sa voix se chargea de haine :

– C'est une bête malfaisante ! Lui et ses hommes sont comme leurs chiens, aussi sauvages que des loups ! Quand ils passent au galop de leurs chevaux, tous se terrent ! Et ses maudites chasses, tous ont appris à les redouter ! Une fois lancés, ses faucons vident les airs de tout ce qui vole, ses chiens déchiquettent volailles et moutons. Et malheur aux prés en fenaison ou aux champs de blés hauts s'ils se trouvent sur leur passage ! Aucun ne se détournera pour les épargner ! Aucun ! Et quand ils ont tout bien ruiné, bien saccagé, le prévôt réclame son dû comme si de rien n'était.

Mais quel grain donner ? Quelle gerbe ? Alors vous allez pourrir dans les cachots !

– Je sais, dit le prieur, d'un air las.

– Ce que vous ne savez pas, c'est que moi, j'avais réussi à défricher un bout de forêt, pas grand, bien sûr, mais j'y tenais. Il m'avait donné tant de peine ! Plein de souches que j'avais dû extirper, de taillis que j'avais dû brûler. Et l'épine noire, vous en avez déjà vu de l'épine noire, prieur ? Les racines rampent sous terre, des mois et des mois, et vous la croyez morte, et elle resurgit au beau milieu du labour et tout est à recommencer !

– Je sais cela aussi, dit le prieur. Elle nous gêne assez ici sur le chantier !

– Eh bien, même l'épine noire, j'en étais venu à bout ! À l'automne dernier, pour la première fois, ce champ, je l'ai ensemencé et le blé a poussé. Les épis étaient là, drus, lourds, et je pensais les moissonner d'ici à deux ou trois jours. Mais, hier, Bérard chassait dans ce coin de forêt. Quand j'ai vu le renard traverser mon champ et les premiers chiens qui suivaient, j'ai compris que ma moisson serait vite faite ! Alors j'ai levé mon épieu et Bérard a levé son fouet. Je n'ai pas eu le temps de protéger mon visage mais je n'avais pas lâché mon épieu et je l'ai planté dans le ventre du cheval. En bonne justice, prieur, ai-je eu tort ?

Le prieur garda le silence mais ses traits semblaient plus creusés et l'on distinguait mieux le cerne de fatigue qui bistrait le dessous des yeux.

– Je me suis enfui dans la forêt pour échapper aux écuyers de Bérard. Ils m'ont cherché jusqu'à la nuit. Du buisson où je me cachais, je les entendais. Ils disaient que Bérard avait la jambe cassée en trois endroits et qu'il était fou de colère et qu'il avait promis cinquante sous d'argent à qui me ramènerait vivant, pour qu'il puisse me pendre !

– Cinquante sous d'argent ! Pour un serf ! Mais pourquoi es-tu venu jusqu'ici et n'as-tu pas cherché refuge à l'abbaye de la Sauve ? C'était un lieu d'asile plus proche de ton clos que mon monastère !

Guillaume haussa les épaules :

– Bérard se moque des lieux d'asile ! Il les viole à sa fantaisie et il serait déjà passé devant un tribunal d'Église s'il n'avait promis de se rendre en pénitence à Saint-Jacques en Galice ! Seulement il n'est pas encore parti, Bérard-le-Diable ! Vous verrez qu'il ne partira jamais !

Il secoua la tête :

– Non ! Ce n'est pas pour chercher un lieu d'asile que je suis venu vers vous ! Je suis venu parce que nul être au monde ne se soucie de moi, depuis dix-huit ans que je suis né, sauf vous !

Et comme Arnaud de Craon faisait un geste, il cria presque :

– Ne protestez pas, prieur ! Même mes propres parents ont choisi de m'abandonner comme on le fait d'un chiot dont on ne veut pas ou d'un...

– Tais-toi ! dit le prieur sévèrement. Tu ne peux juger de ce que tu ignores.

Il parut hésiter un instant puis il se dirigea vers un coffre, l'ouvrit, en tira un objet qu'il tendit à Guillaume. C'était une petite bourse en cuir, accrochée à une mince tresse d'or.

– Ouvre-la ! commanda le prieur.

Intrigué, Guillaume obéit.

À l'intérieur se trouvait un anneau comme il n'en avait jamais vu, pas même au doigt de la dame de Cailhau, la femme de Bérard. Il était large d'un demi-pouce, ciselé tout autour, et portait, en son centre, deux pierres jumelles, également scintillantes : l'une d'un rouge éclatant, l'autre verte. Sur la rouge était incrustée une étoile d'argent, sur la verte, un croissant de lune.

La stupeur rendait Guillaume muet.

– Tu portais cela sur toi, le matin où je t'ai trouvé.

Il continua lentement, comme pour lui seul, les yeux fixés au loin :

– C'était le matin de la fête des Rois, juste après l'office de laudes. Nous venions de chanter l'antienne : “Magi venient de Saba”, les Mages vinrent de Saba... Quand je t'ai vu si brun, avec des yeux si noirs, et que j'ai trouvé cet anneau sur toi, j'ai pensé que c'était un signe et que sans doute, toi aussi, tu venais de ces pays lointains... païens...

– Voulez-vous dire, fit alors avec violence

Guillaume, que vous m'avez cru fils de Turc ou de Maure ?

– Que pourrait signifier d'autre cet anneau ? Je n'en ai jamais vu de semblable à des doigts chrétiens ! Et je sais, en revanche, qu'il existe, chez les infidèles, des hommes qui se targuent de connaître les secrets du firmament, lisant même le destin des hommes dans la lune et dans les étoiles !

Guillaume tournait entre ses doigts l'anneau d'or, et ses yeux brillaient autant que les deux pierres qui l'ornaient :

– Et si vous vous étiez trompé, prieur, et que ce soit le signe que je suis fils de roi ?

Le prieur ne put s'empêcher de sourire, puis dit avec gravité :

– Voilà pourquoi j'hésitais tant à te parler de cet anneau ! Je craignais pour toi la folie des rêves et l'écueil des chimères, cent questions que tu te poserais sans pouvoir répondre à aucune, plus de souffrances que de joies, surtout dans ton état de serf ! Mais à présent, tu vas t'en aller loin de moi et peut-être ne te reverrai-je plus, aussi...

– Pourquoi m'en aller loin de vous ? coupa Guillaume avec véhémence. L'abbaye n'est pas achevée. Je travaillerai au chantier.

– Et, avant trois jours, Bérard saura où tu te caches ! Alors, tu l'as dit toi-même tout à l'heure, il t'arrachera à ce monastère même si je le lui interdis. Nous ne disposons pas, lui et moi, d'armes égales, du moins en ce monde !

– Mais, fit Guillaume consterné, où irai-je ? Sans votre appui...

– Un jour ou l'autre, il aurait bien fallu que tu t'en passes !

Il réfléchit un moment :

– Tu vas te reposer ici pendant un jour ou deux. Tes plaies guériront vite, car tu es jeune et en bonne santé. D'ici là, je trouverai bien le moyen de te faire échapper à Bérard.

Le lendemain, après avoir retiré les emplâtres, il dit :

– Deux de nos frères doivent se rendre à Bazas pour y acheter des outils. Tu les suivras. On m'a signalé la présence chez l'évêque d'une troupe de pèlerins d'Auvergne qui regagnent leur pays après avoir été prier à Compostelle. Tu te joindras à eux. Pour un homme seul, les routes sont peu sûres ; en leur compagnie, tu courras moins de risques. Une fois en Auvergne, rends-toi à Conques. On y honore sainte Foy, et c'est un lieu très réputé. Tu y trouveras un homme occupé à diriger les travaux d'agrandissement de l'église. Il se nomme Robert de Blois. Tu lui diras qu'Arnaud de Craon t'envoie pour qu'il t'emploie. Il le fera car je l'ai bien connu dans ma jeunesse et nous étions, lui et moi, les deux doigts de la même main.

– Quand dois-je partir ?

– Demain matin au petit jour.

...Pendant la nuit, un orage éclata et, au petit

jour, il bruinait. Les moines avaient déjà harnaché les mules qui devaient les porter à Bazas. Le prieur et Guillaume venaient d'entendre la messe dans la chapelle. Ils étaient seuls.

Guillaume s'approcha d'Arnaud de Craon, s'agenouilla devant lui :

– Je voudrais que vous placiez l'anneau à mon cou, prieur, comme vous l'en avez ôté il y a dix-huit ans.

Arnaud de Craon passa la mince tresse d'or autour du cou de Guillaume qui glissa sous sa chemise l'anneau enfermé dans sa bourse de cuir, puis il se releva et tous deux sortirent.

Comme il montait sur une mule aux côtés des deux moines, le prieur murmura :

– Ne va pas imaginer trop de fables au sujet de ta naissance pour les raisons que je t'ai racontées. Après tout, j'ai pu me tromper !

Puis il dit tout haut, à deux reprises :

– Dieu te garde !

Malgré ses efforts, sa voix tremblait un peu, et il demeura un grand moment immobile bien après qu'ils se furent éloignés.

CHAPITRE II

CHEZ L'ÉVÊQUE

C'était le troisième mardi du mois d'août, jour de foire à Bazas, et l'affluence était grande dans les rues qui menaient à la place de l'église. Sur le parvis se tenait un marché. La demeure de l'évêque était juste à côté. Les frères de l'abbaye la désignèrent à Guillaume puis s'en furent à leurs affaires. Il resta seul, un peu embarrassé d'abord, bien vite curieux de tout.

Il avisa un homme qui, dans un recoin d'arcade, vendait des hardes défraîchies étalées devant lui sur un tréteau de bois.

Il s'approcha et, après avoir discuté du prix un bon moment – car l'homme était rusé ! –, il acheta, en prévision du voyage, un surcot de laine brune, à capuche, et fendu devant pour ne pas gêner la marche, ainsi qu'un grand chapeau à bord large et une paire de sandales en cuir.

Il mit le surcot sur son bras, se coiffa du chapeau dont le bord cachait en partie les plaies de son visage qui commençaient juste à cicatriser, fit le compte de ce qui lui restait de la petite somme d'argent que le prieur lui avait donnée pour la route. Il en conclut qu'il pouvait encore acheter un de ces grands bâtons ferrés au bout, dont les pèlerins se servaient pour s'aider à marcher et porter leur besace.

Ainsi équipé, il revint vers la demeure de l'évêque. La porte en était grande ouverte et la cour intérieure pleine de remue-ménage. Visiblement, un départ se préparait !

Guillaume entra et se tint dans un angle. Il observait et écoutait. Tous ces gens parlaient entre eux leur patois d'Auvergne et il les comprenait assez mal, suffisamment toutefois pour apprendre l'essentiel. Ainsi, ce gros homme rougeaud, qui faisait l'important aux côtés de deux mules et dont le chaperon était constellé de coquilles pire que de puces un chien errant, se nommait Géraud Gargne et était marchand drapier à Aurillac. Il revenait de Compostelle de même qu'un autre compère plus petit, plus fluet, qui avait l'air de son ombre écourtée et ne possédait qu'une mule. Celui-là faisait le commerce des peaux et se nommait Nicolas Brousse.

Alentour s'agitait une petite troupe de six ou sept plus humbles, sans autre monture que leurs pieds et qui se confondaient un peu de visage et d'allure dans leurs mêmes robes de pèlerins, sous leurs chapeaux semblables, ornés d'une seule coquille. Ils étaient de la corporation des tisserands de Tulle, sous la bannière de saint Léonard.

Un homme, aux yeux fureteurs, à la mine de belette, allait des uns aux autres. Il avait le parler gascon, point de coquilles, et semblait être, plutôt que pèlerin, baladin ou colporteur. Quelqu'un lui cria en riant :

– Eh, Jean-le-Rat !

Un surnom qui correspondait à sa mine et ne parut pas le vexer, car il répliqua d'un ton jovial :

– Que me veux-tu, quéreur de pardon ?

– Que tu me vendes de ton onguent d'écorce, j'ai le talon droit tout enflammé ! C'est la chaleur !

– Tu dois pourtant y être habitué ! Depuis le temps que tu fais la route ! Qui t'a payé, cette fois, pour aller prier à sa place ? Un seigneur usurier ou une belle dame trop tendre envers son écuyer ?

L'autre haussa les épaules :

– Que vas-tu chercher ? C'est tout simple : la dame de Turenne est vieille et mourra peut-être avant la fin de l'an. Elle m'a demandé d'aller prier saint Jacques pour le salut de son âme. J'étais libre. Je suis parti.

– Et combien de marcs d'argent t'a-t-elle donnés pour ça ?

– Va à Turenne le lui demander ! Tu es trop curieux, le Rat !

L'autre maugréa :

– On les connaît ! Tous les mêmes ! Sauver leur âme en payant ! C'est plus aisé d'ouvrir sa bourse et de compter des pièces que de marcher par tous les temps sur tous les chemins ! Je voudrais qu'on me dise où est la pénitence !

– Questionne les clercs et donne-moi mon onguent que je me frotte le talon. On ne va plus tarder à partir. Le soleil est déjà haut et il tape !

Tout en les écoutant d'une oreille, Guillaume réfléchissait au meilleur moyen de se joindre à leur troupe sans provoquer trop de questions. Comme le disait le curé de la Sauve, il valait toujours mieux s'adresser à Dieu le Père qu'à ses saints !

Il marcha donc tout droit vers le gros marchand drapier d'Aurillac et, s'arrêtant à distance respectueuse, le salua non pas en rustre mais à la façon courtoise que lui avait enseignée Arnaud de Craon.

Géraud Gargne le regarda, étonné :

– Que me veux-tu, garçon ?

– Vous demander une faveur, seigneur marchand.

Et il guettait du coin de l'œil le bon effet de ce titre de "seigneur", pour le moins inaccoutumé ! Géraud se rengorgea :

– Quelle faveur ?

– Celle de cheminer un temps en votre compagnie.

Le visage du marchand se ferma :

– Je ne te vois pas l'habit de pèlerin ! fit-il en examinant attentivement les vêtements usés de Guillaume.

– Aussi ne le suis-je pas !

– Quel est donc ton état et pourquoi voyages-tu ?

Guillaume joua son va-tout :

– Je suis tailleur de pierre, dit-il, mentant effrontément, et je me rends à Conques sur ordre du prieur Arnaud de Craon pour servir à la nouvelle église que bâtit là-bas maître Robert de Blois !

Là, il ne mentait qu'à moitié ! Et il était si attentif à suivre sur le visage du marchand drapier l'effet de ses paroles qu'il ne remarqua pas un homme, nouveau venu dans la cour.

Grand et mince, le visage en partie caché par un chapeau aux bords rabattus, il était vêtu, non comme un pèlerin, ni comme un marchand, plutôt à la mode des chevaliers d'Espagne dont il avait l'allure raide. Il s'était rapproché insensiblement du drapier d'Aurillac et de Guillaume et les écoutait.

Le nom d'Arnaud de Craon ne disait rien à Géraud Gargne mais celui de maître Robert le fit se récrier :

– Tu connais maître Robert de Blois, le bâtisseur d'églises ?

Guillaume tourna la difficulté :

– Vous-même semblez le connaître ?

– Conques n'est pas si éloigné d'Aurillac ! Ni Collonges où il fit l'église dédiée à saint Étienne ! ni Cahors, ni tant de lieux d'Auvergne et de Limousin où il éleva des chapelles en l'honneur de la Vierge et de son Fils !

L'homme vêtu en chevalier regardait Guillaume avec attention et, intervenant soudain, demanda :

– C'est en taillant la pierre que tu t'es entaillé le visage de cette façon ?

Guillaume, surpris, sursauta et rougit :

– Oui ! Un éclat m'a frappé comme j'en taillais une. Mais le prieur de Craon connaît des secrets d'herbes qui font merveille !

– Merveille surtout de t'entendre !

Le ton était si ironique, le regard si moqueur que Guillaume serra les poings de colère. Heureusement, Géraud Gargne n'avait rien remarqué et poursuivait son cheminement de pensée :

– Donc tu te rends à Conques ! Eh bien, viens avec nous ! Qui sert maître Robert sert la cause de Dieu et peut se considérer comme un vrai pèlerin ! Mais ton prieur, lui, me semble bien imprudent de t'envoyer seul sur les routes ! Toutes ne sont pas sûres !

– Il était prévenu que vous seriez chez l'évêque ! Voilà pourquoi j'y suis moi-même !

– Il le savait ! fit le marchand, flatté. C'est vrai que notre troupe a fait un peu de bruit par ici. Et bien des pèlerins, qui ne sont pas d'Auvergne, chantent notre chanson !

Et il se mit à entonner à pleine gorge :

Nous sommes pèlerins d'Aurillac,
La ville proche de Jordanne
Nous avons laissé nos parents
Nos épouses et nos gens
Pour aller prier en Galice...

Les autres pèlerins l'accompagnèrent, même Jean-le-Rat avec son accent gascon. Seul se taisait l'homme qui ressemblait à un chevalier espagnol, et une moue de mépris tirait sa bouche qui était grande et bien dessinée. Guillaume le remarqua parce que cet homme l'intriguait et aussi l'inquiétait. Comment avait-il compris qu'il mentait ?

*

* *

À ce moment, on entendit, venu de la place, un vacarme d'étals qu'on renverse, des cris aigus de femme, des piaillements de volaille. Un gamin, blanc de peur, entra en courant dans la cour et hurla :

– Les hommes de Bérard ! Les hommes de Bérard !

Il y eut une seconde de flottement parmi les pèlerins.

– Qui est ce Bérard ? demanda Géraud Gargne.

– Le diable en personne, lança Jean-le-Rat qui, en un tournemain, avait rassemblé son bagage et s'était précipité dans les cuisines de la demeure de l'évêque dont la porte était grande ouverte à cause de la chaleur.

Le marchand drapier en demeura pantois. Guillaume ne savait quel parti prendre, d'autant qu'il sentait peser sur lui le regard de l'inconnu. Mais lorsqu'il vit un des écuyers du comte, qu'il connaissait bien, Guittard Eyquem, apparaître à cheval traînant par sa capuche un des frères de l'abbaye, il fit comme Jean-le-Rat et s'engouffra dans les cuisines.

Arrivé au milieu de la cour, l'écuyer lâcha le malheureux frère qui alla s'étaler rudement contre la pierre du puits. Il se releva, le front en sang, au moment où l'évêque paraissait à une fenêtre.

C'était un homme jeune, très imbu de son autorité et qui entendait ne la partager avec personne. Fût-ce le comte Bérard avec lequel il avait déjà eu passablement de démêlés, car les terres de leurs fiefs se touchaient.

Aussi fronça-t-il le sourcil en voyant Guittard Eyquem, là, dans sa propre cour, sous sa fenêtre, malmener un moine d'une abbaye qui se construisait sur ses terres.

– Qui t'a dit d'entrer, Guittard ? cria-t-il avec force.

– Je vous salue, seigneur évêque, fit insolemment l'écuyer sans même daigner descendre de son cheval.

Le visage de l'évêque tourna au pourpre.

– Sors d'ici sur-le-champ !

– Écoutez d'abord, seigneur évêque, ce qui m'amène. Je cherche un serf de Bérard, mon maître, qui s'est enfui après lui avoir tué d'un coup d'épieu son cheval favori, et lui-même a la jambe cassée en trois endroits à la suite de sa chute.

L'évêque haussa les épaules :

– Comment ce serf serait-il venu chez moi ? Les terres de Bérard sont à dix lieues de la ville !

L'écuyer désigna du bout de son fouet le moine qui épongeait son front blessé :

– Le frocard que voilà l'a conduit depuis l'abbaye que construit Arnaud de Craon et où il avait d'abord cherché refuge !

– Et pourquoi Arnaud de Craon ne l'a-t-il pas gardé ? Son abbaye est terre d'asile !

L'écuyer eut un rire qui acheva d'exaspérer l'évêque :

– Sans doute qu'Arnaud de Craon connaît bien le comte Bérard ! Il a eu peur !

– Eh bien, pas moi ! Je suis ici dans ma demeure, dans ma ville, sur mes terres. Si tu ne sors pas de ma cour à l'instant, je fais lâcher sur toi mes chiens. Tu verras s'ils ne mordent pas aussi bien que ceux de ton maître !

– Vous oubliez que je suis chevalier ! On lâche les chiens sur un serf, pas sur un homme-lige !

– Quand un homme se conduit comme toi, Guittard, il ne mérite plus le nom de chevalier ! Sors d'ici !

Et comme l'écuyer hésitait, l'évêque cria un ordre. Un serviteur parut devant le chenil dont il commença à ôter les barres de bois. Les chiens pressaient leur museau contre les bat-flanc en montrant leurs crocs.

Guittard hésita encore une seconde puis, avec un geste de rage, il fit faire volte-face à son cheval et cria :

– Vous ferez moins le fier, évêque, quand Bérard sera là !

Pour seule réponse, l'évêque referma la fenêtre. On entendit Guittard rassembler ses hommes qui étaient restés au-dehors, n'osant pas entrer chez l'évêque car ils n'étaient que de simples gens d'armes.

*

* *

Il y eut un nouveau vacarme de cris, de jurons, de piaillements auquel succéda un certain silence. Alors seulement Guillaume se glissa hors des cuisines.

Il était anxieux de savoir si Géraud le drapier ou quelque autre n'avait pas fait le rapprochement entre ce serf que Bérard recherchait et un tailleur de pierre bizarrement tombé du ciel !

Le premier coup d'œil le rassura : comme une

troupe de poules caquetantes, les pèlerins entouraient le marchand drapier qui pérorait, bien haut, bien fort, maintenant que l'écuyer de Bérard n'était plus là pour l'entendre. Il applaudissait la fermeté de l'évêque et vouait le comte Bérard à l'enfer, criant :

– Qu'il y rôtisse !

Son compère, l'ombre écourtée, le tirait par la manche pour le faire taire :

– Ce Bérard est un puissant seigneur, chuchotait-il d'une voix tremblante, et ses terres ne sont pas loin, ses hommes sans doute encore dans la ville, taisez-vous, ami Géraud, et quittons Bazas au plus tôt. Ah, que j'ai hâte de revoir mon bon Aurillac ! Ce n'est pas notre comte qui parlerait ainsi à son évêque !

– Ni le nôtre ! firent en chœur les pèlerins de Tulle.

– Ni la dame de Turenne, renchérit le quéreur de pardon.

– Moi, fit Jean-le-Rat, j'en connais qui seraient capables des mêmes exploits ! Ou de pires ! Brûler de fureur un couvent de nonnes, j'en ai connu un, oui, qui a fait ça ! Après, il est parti croisé en Terre sainte ! Mais les pauvres femmes n'ont pas ressuscité !

Il y eut quelques rires, mais aussi des mines scandalisées.

– Eh toi, le tailleur de pierre, qu'en dis-tu ? À voir comme tu t'es sauvé, tu as dû en connaître des seigneurs auxquels il ne fait pas bon frotter sa peau si on veut la garder intacte.

Guillaume crut que Jean-le-Rat faisait allusion à ses cicatrices et l'avait percé à jour. Il ne savait que répondre lorsque le marchand drapier lui demanda :

– Au fait, compagnon, quel est ton nom ?

– Guillaume.

– Guillaume comment ? Tu n'as pas de nom de famille ?

Un peu de suspicion naissait dans son regard.

– Si "Trouvé" peut en être un, alors je me nomme Guillaume Trouvé, messire Géraud !

Cette fois, tous rirent et le marchand plus fort que tous :

– Trouvé ou non, tu as la langue bien aiguisée, tu feras un bon compagnon ! Allons, maintenant, pressons-nous de prendre la route !

L'homme vêtu en chevalier ne cessait de regarder Guillaume. Pendant toute la scène entre l'évêque et l'écuyer de Bérard, il s'était tenu à l'écart comme si cela ne l'intéressait pas. Tout à coup il demanda à mi-voix :

– Ce serf que son maître recherche, tu as dû le voir à l'abbaye d'où tu viens, peut-être même avez-vous fait la route ensemble jusqu'ici ? Quelle figure a-t-il ?

La voix était moqueuse, le regard aigu. Guillaume ne baissa pas les yeux, répondit sur le même ton :

– La mienne ! Et il porte au visage la marque du fouet de Bérard.

L'homme hocha la tête et un sourire bref étira sa bouche, mais il garda le silence et il alla chercher sa monture.

Lui seul avait un cheval, et aucun des pèlerins ne semblait le connaître beaucoup.

– Il s'est joint à nous sur la route, juste avant la grande lande, et n'a pas dit son nom, seulement qu'il venait d'Espagne, expliqua le quéreur de pardon répondant à une question de Guillaume.

Et il acheva de masser son talon, enfila sa sandale, et se mit debout en faisant la grimace.

Jean-le-Rat, lui, ajustait sur son dos le sac contenant les poudres contre la gale, les onguents divers et les pierres d'hirondelles et d'aigles qu'il était allé acheter en Espagne pour les vendre sur les marchés. Elles passaient pour guérir le mal des yeux, les flux de ventre et la fatigue.

Il avait écouté la conversation et cligna de l'œil :

– D'Espagne, si l'on veut. Il regarda autour de lui prudemment et, baissant la voix : ...mais de l'Espagne maure !

Le quéreur de pardon sursauta et, baissant le ton, lui aussi :

– Qu'est-ce qui te fait dire ça ? Rien !

– Si ! Son cheval !

Tous trois tournèrent la tête vers le fond de la cour. L'inconnu venait de se mettre en selle. La bête qu'il montait était de petite taille, avec des membres fins et une allure à la fois élégante et nerveuse.

– Un cheval de cette race, vous en avez vu souvent dans nos pays ? Ils sont plus grands, plus gros, plus lourds ! Ça, je vous le dis, c'est un cheval de Maure et qui vient droit ou de Cordoue ou de Grenade !

– C'est bien possible, après tout ! admit le quéreur, en homme placide, ennemi de la discussion.

Et il ajouta avec un petit rire :

– Ce n'est toujours pas lui qui nous renseignera ! Encore moins son maître ! De plus muet, j'en ai rarement rencontré ! À faire paraître bavarde une carpe !

Guillaume les écoutait sans rien dire. Peu lui importaient le cheval et les silences de son maître. Ce qu'il aurait voulu savoir, c'était s'il arrivait vraiment de chez les Maures. Et pourquoi il y était allé.

Depuis qu'Arnaud de Craon lui avait remis l'anneau à la double pierre, Guillaume se posait ces sortes de questions.

CHAPITRE III

JEAN-LE-RAT

Le convoi s'ébranla lentement, traversa la ville à un rythme de procession. En tête venaient les deux marchands sur leurs mules et, comme les gens leur criaient de bonnes paroles, ayant reconnu qu'ils étaient pèlerins, le drapier prenait des airs d'évêque et répondait aux acclamations par de petits gestes de main bénisseurs.

Venaient ensuite le groupe des pieds poudreux et, à petite distance, comme s'il désirait rester seul, tout en s'y agrégeant, l'homme vêtu en chevalier sur son cheval de Maure qui marchait au pas.

Une fois franchies les portes de la ville, la chaleur, d'un coup, s'abattit sur eux. Moite des pluies d'orage de la nuit, rendue plus étouffante par le couvert des arbres, aussi épais qu'au cœur d'une forêt.

Personne n'avait envie de parler, tous transpiraient et pensaient au chemin à parcourir d'ici au soir, car il avait été décidé qu'on coucherait à Sainte-Foy et cela faisait huit lieues au dire des marchands, onze ou douze d'après le quéreur, plus proche sans doute de la vérité pour avoir fait souvent la route.

Aux abords des villages, des labours et des prés coupaient la monotonie des arbres. Les paysans s'arrêtaient de moissonner ou de faner pour les regarder passer. Alors les pèlerins se redressaient et chantaient à plein gosier malgré la poussière que levaient leurs pieds.

Guillaume commençait à connaître par cœur les couplets de la chanson d'Aurillac ! Or il y en avait trente, et un seul lui plaisait : il y était question de lavandes et d'une friche où poussait le romarin, près d'une ville qui se nommait Vitoria.

Pour les entendre de moins près, il ralentit le pas et, de ce fait, se trouva ramené à hauteur de l'inconnu qui continuait à fermer la marche et de temps en temps descendait de son cheval pour le laisser se reposer.

Ils cheminèrent un petit moment en silence puis l'inconnu dit avec son habituel ton narquois :

– Je connais une chanson espagnole qui dit à peu près ceci :

Il se mit à fredonner.

– Revenaient de Compostelle un sourd, un

muet, de compagnie, tous deux guéris. Le muet jasait comme une pie, le sourd pensait : ô bon saint Jacques, rebouche-moi les deux oreilles !

Il fit une grimace :

– En ce moment, je souhaiterais pour moi le même miracle !

Guillaume éclata de rire malgré la cicatrice de sa joue qui le faisait souffrir chaque fois qu'il riait :

– C'est une bonne chanson, messire chevalier !

– Pourquoi me crois-tu chevalier ?

L'ironie de la voix s'était encore accrue.

Guillaume, embarrassé, désigna le cheval :

– N'est-ce pas là une monture de chevalier ?

– Si la monture pouvait faire le chevalier, il y en aurait beaucoup par le monde ! Tu es encore bien innocent malgré tes mensonges,... tailleur de pierre !

Guillaume releva la tête, une lueur de défi aux yeux :

– Si vous n'êtes pas chevalier, qu'êtes-vous donc pour me traiter ainsi de menteur ?

L'inconnu le regarda :

– Je te traite de menteur parce que tu l'es ! En plus, tu es orgueilleux, coléreux, insolent... Sais-tu que, pour un serf, tu as des défauts de page ?

– Je ne suis pas serf de naissance, cria Guillaume, furieux. Ce n'est pas parce que le prieur m'a trouvé, le matin des Rois, à...

– Je ne te demande rien, coupa froidement

l'inconnu. Mais ne me demande rien, toi non plus.

Guillaume, piqué, se tut et ils continuèrent à marcher un peu en retrait des autres qui chantaient toujours.

Ils arrivèrent bientôt au port de Saint-Macaire et trouvèrent un passeur honnête qui leur fit franchir la Garonne en ne leur demandant que trois sous pour les gens et quatre pour les bêtes. Il est vrai que les mules donnèrent plus de mal que tous les pèlerins réunis ! Les deux marchands, Géraud et son ombre, en transpiraient autant que de la chaleur !

C'était le milieu du jour. Le soleil avait un éclat blanc qui aveuglait, et les eaux du fleuve qui étaient basses miroitaient comme de l'étain poli entre les bancs de vase où crevaient de grosses bulles nauséabondes.

Le cheval, maure ou non, fit moins de façons que les mules et passa sur l'autre rive en même temps que son cavalier qui le tenait par la bride et lui parlait tout bas en lui caressant les oreilles, pour qu'il ne s'effraie pas.

Après quoi, tout le monde s'arrêta pour manger, à l'ombre d'un petit bois qui couronnait un tertre aux pentes couvertes de vignes.

Guillaume aurait volontiers trempé dans l'eau du fleuve ses pieds tout gonflés dont les ampoules commençaient à le faire souffrir bien plus que les cicatrices de son visage. Le cuir des sandales achetées à Bazas s'était révélé mal tanné et mal cousu. Le quéreur de pardons, consulté, avait fait la grimace :

– Mieux te vaudrait aller nu-pieds ! Encore que ce ne soit pas non plus de bon conseil !

– Alors que faire ?

– Prendre son mal en patience ! Ce soir, je te confectionnerai un baume de ma façon. Tu verras, il est souverain !

Guillaume remercia et continua de souffrir.

Il n'avait à manger que du pain et des poires, restes des provisions emportées de l'abbaye, et il regardait avec envie le drapier Géraud Gargne et son compagnon mordre dans de gros pilons de chapons.

Jean-le-Rat croquait des noisettes et gobait des œufs qu'il avait volés par là. Le quéreur frottait son pain d'une gousse d'ail et les gens de Tulle se disputaient au sujet de champignons qu'ils avaient ramassés : étaient-ils vénéneux ou pas ? Finalement, ils les jetèrent et mangèrent leur quignon de pain sec, en discutant avec le quéreur des mérites comparés de l'hospice Sainte-Christine du Somport ou de celui de Roncevaux.

L'inconnu, allongé un peu à l'écart, sur l'herbe, son chapeau sur le visage comme pour s'endormir, ne bougeait pas.

Guillaume avait si chaud qu'il ouvrit sa chemise, sans se méfier : mais il découvrait ainsi la mince tresse d'or scintillant à son cou.

Les pèlerins, occupés à rassembler leur bagage pour reprendre la route, n'y prirent pas garde. Mais Jean-le-Rat, lui, l'avait vue. Il eut un bref battement de paupières. Ce fut tout.

*

* *

L'après-midi parut long à Guillaume. Il boitait de plus en plus et, malgré les conseils du quéreur, serait bien allé pieds nus si le chemin l'avait permis. Mais un berger, interrogé à un croisement, leur avait indiqué un raccourci qui devait les mener droit à Sainte-Foy. Pas même un chemin, une sente, pleine de silex tranchants, d'épines, et bordée de ronciers dont les branches basses rampaient sournoisement. Aussi gardait-il ses chaussures et boitait ! En maudissant intérieurement le gros Géraud qui passait du dos d'une de ses mules à l'autre sans se préoccuper d'en offrir aucune !

L'inconnu, du moins, ne pouvait plus aller qu'à pied, son cheval s'était blessé et lui aussi boitait !

Le crépuscule vint enfin mais la dernière demi-lieue parut interminable à Guillaume ! La fatigue lui ployait les reins pire qu'un soir de moisson et, de la ville de Sainte-Foy où ils entrèrent, comme tombait la nuit, juste avant qu'on ferme les portes, il ne vit ni maisons, ni clochers, ni bêtes, ni gens, uniquement le banc de pierre d'une auberge sur lequel il se laissa tomber.

Ses compagnons discutaient âprement, en bons Auvergnats qu'ils étaient, le prix du gîte et du couvert. Les marchands finirent par entrer et commandèrent à souper. Le gros des pèlerins trouva l'auberge trop chère et s'en alla dans l'église, s'accommodant, pour dormir, de la paille posée sur les dalles. Le quéreur, en habitué des villes d'étape, avait trouvé une maison dont la porte s'ornait d'une coquille. Il y frappa. La propriétaire le prit en charge pour trois fois moins que l'aubergiste !

L'homme vêtu en cavalier s'occupait de faire soigner son cheval. Guillaume restait assis sur son banc. Jean-le-Rat tournait autour, son museau de belette plus fouineur que jamais !

– Si tu m'en crois, compagnon, finit-il par dire, nous nous arrangerons à meilleur compte que les autres. J'ai vu tout à l'heure une grange dont il doit être facile de pousser le battant. Allons-y dormir !

Guillaume le suivit machinalement. Ses pieds en sang le faisaient tellement souffrir qu'il en était comme hébété.

Jean-le-Rat le poussa dans la grange et, quand il fut affalé sur le foin, se pencha vers lui, tenant une fiole :

– Bois un peu de cette liqueur opiacée. Tu verras qu'après tu ne souffriras plus !

Guillaume but et presque aussitôt, de fait, ses

souffrances disparurent et il s'endormit d'un coup.

Jean-le-Rat, assis à son côté, commença par se tailler en sifflotant un gros morceau de pain tiré de sa besace et le mangea. Puis il but un grand coup de vin et se mit à rire, parlant tout seul et d'un air de pitié :

– Pauvre Trouvé, pauvre tailleur de pierre, c'est toi, demain matin, qui te trouveras bien taillé !

Il se pencha, tira de côté la chemise de Guillaume qui grogna dans son sommeil mais ne se réveilla pas. Jean-le-Rat eut un autre rire :

– Eh, pèlerin, mes herbes, tu ne t'en méfies pas assez ! Quand tu t'éveilleras, je serai loin, ta chaîne d'or aussi !

Il fit glisser la tresse d'or, souleva la tête de Guillaume. Derrière lui, le battant de la porte de la grange s'entrouvrit sans bruit, une silhouette haute et mince se faufila et une main que, dans sa peur, Jean-le-Rat crut gantée de fer le saisit au cou et le tira sans ménagements dehors.

Une lune ronde, rousse éclairait la ruelle comme par moquerie. Jean-le-Rat reconnut l'homme au cheval maure. Il tenta de se rebiffer :

– Eh là, compagnon, êtes-vous pris de fièvre chaude que vous me confondez avec un autre ? Ne reconnaissez-vous pas Jean-le-Gascon ? Jean-le-Rat ?

Et comme l'autre le laissait dire sans relâcher sa prise mais sans l'accentuer, il s'enhardit :

– Vous me faites mal ! Laissez-moi ! Il faut que je retourne soigner mon pauvre compagnon. Justement je lui avais fait boire...

– Une tisane de brigand dont tu n'es pas le seul à détenir le secret, vermine ! D'autres détrousseurs de chemin le connaissent, voleur de pèlerin ! Semence du diable !

Il accompagnait chaque qualificatif d'un coup de poing. Jean-le-Rat, ballotté de droite et de gauche, demanda grâce, cria son repentir, promit, jura...

Rien n'y fit ! Le cavalier le traîna jusqu'à une venelle voisine qui longeait le rempart. Là, le soulevant comme s'il eût été une plume, il le jeta de l'autre côté du mur d'enceinte.

Jean-le-Rat tomba dans un carré de choux qui amortirent sa chute. Un marchand de la ville avait là son jardin accolé au rempart. Une cabane en planches servait à ranger une pelle, deux bêches et un rateau de bois. Jean-le-Rat s'y traîna. Malgré la hauteur de la chute, il n'avait que des contusions, apparemment rien de cassé ! Au fond, il s'en tirait à bon compte !

Il réfléchit. Mieux valait ne pas reparaître et rester caché là jusqu'au départ des pèlerins. Après, il essaierait de récupérer sa besace qui était restée dans la grange et que ce tailleur de pierre était trop honnête garçon pour emporter !

Au lieu de se rendre à Sarlat comme il avait pensé le faire, il resterait quelque temps à Sainte-Foy et le tour serait joué ! Il s'endormit sans trop de peine !

*

* *

Lorsque, le lendemain matin, Guillaume s'éveilla sur la terre battue de la grange, il avait la tête lourde et l'estomac barbouillé. Il se frotta les yeux en voyant, à la place de Jean-le-Rat, l'homme au cheval maure – ledit cheval étant d'ailleurs là, lui aussi, attaché à l'un des soliveaux tenant la porte.

L'inconnu était assis par terre, adossé aux planches, ses bottes et son chapeau posés près de lui, sa tunique dégrafée, de la paille dans les cheveux. Il était en train de faire tranquillement l'inventaire de la besace de Jean-le-Rat.

L'exclamation que poussa Guillaume lui fit lever la tête. Son visage se trouva en pleine lumière et, bien que les traits en fussent beaux, il produisait une impression étrange. Il avait quelque chose de tourmenté qui frappait. Cela tenait peut-être à la crispation de la bouche ou à la grande ride dure qui barrait le front. Il était difficile de lui donner un âge.

– Où est Jean-le-Rat ? demanda Guillaume.

– Envolé vers quelque sabbat ! À en juger par le contenu de son sac, un tribunal d'Église le condamnerait au bûcher dix-huit fois !

Il continuait à sortir des fioles, des pots qu'il ouvrait, reniflait avec amusement ou dégoût en prononçant des noms assez effrayants : suc de vipères, poudre d'araignées, thériaque.

D'où l'inconnu tirait-il cette science ?

Il y avait aussi des pierres d'aigles et d'hirondelles et, cousues dans de petits sachets, de fausses reliques qu'il rejeta avec mépris. Puis il détacha un lacet en cuir qui pendait à l'un des sachets, le lança à Guillaume éberlué :

– Tiens ! Mets ça à la place de ta chaîne en or ! Ce sera moins voyant et ne risquera plus d'attirer sur toi les doigts crochus d'un autre rat !

Guillaume porta vivement la main à son cou.

L'inconnu eut ce rire bref qui décrispait sa bouche sans mettre aucune gaieté dans ses yeux :

– Rassure-toi ! Ton amulette est encore au bout, si Jean-le-Rat n'est plus là !

– Ainsi, il voulait me voler ! fit Guillaume tout étourdi de la révélation. Comment l'avez-vous compris ?

– Avec ces deux yeux-là, je sais voir !

– Sans vous, commença Guillaume avec élan...

– Sans moi ou sans un autre ! coupa avec rudesse l'inconnu. Allons lève-toi. Tu n'entends pas nos compagnons ? Leur cri d'Auvergne emplit déjà la rue : « Pour Géraud ! Pour l'abbé ! » Quels braillards, ces chrétiens-là !

– Mais, s'exclama Guillaume avec une soudaine

détresse, ne me direz-vous pas votre nom, vous qui venez de me sauver la vie ?

– La vie, non ! Seulement ta chaîne !

Puis, après un silence, du même ton rude :

– J'ai reçu au baptême le nom de Bertrand. Peu importe celui qui vient après !

Il enfila ses bottes, ajusta sa tunique, se coiffa de son grand chapeau et, détachant son cheval, le fit sortir avec lui.

Guillaume les suivit en trébuchant. Il n'avait pas pu remettre ses sandales et maintenant qu'il était debout, la tête lui tournait. Il dut s'appuyer à la porte de la grange. Dix soleils dansaient devant ses yeux.

– Monte ! ordonna Bertrand qui achevait de seller son cheval. Je vais t'aider.

– Non, dit Guillaume, humilié. Je peux marcher !

– À peu près comme tu es tailleur de pierre ! En plus de la tisane de brigand que tu as bue, tu as vu tes pieds ?

Et comme Guillaume, par fierté, tentait d'avancer en direction du groupe des pèlerins qu'on voyait remonter la grand-rue, Bertrand lui prit le bras :

– Tu as envie qu'ils te laissent ici ? Tu crois peut-être qu'ils te porteront sur leur dos ? Mon cheval, lui, le peut. Alors, monte et presse-toi !

Guillaume céda. Il pouvait à peine garder les yeux ouverts tant la tête lui faisait mal. Un marteau frappant une enclume n'aurait pas résonné plus fort !

Bertrand l'aida à monter :

– Si tu sens venir un étourdissement, penche-toi sur l'encolure et agrippe-toi à la crinière. Ça t'évitera de tomber !

Guillaume, de plus en plus humilié, s'écria amèrement :

– Je fais confiance à un voleur qui sans vous me dévalisait, je bois sa tisane qui m'endort et m'enlève à présent toute force, j'ai les pieds perclus d'ampoules après un seul jour de marche ! Voilà de quoi vous faire bien rire de moi !

– N'importe qui aurait les pieds meurtris après la marche d'hier, avec tes chaussures et par cette chaleur. Pour ce qui est du voleur et de sa tisane, la naïveté est le propre de la jeunesse. Je ris rarement de ce que j'ai perdu ! Passe-moi ton bâton, tu vois bien qu'il te gêne. Moi, il m'aidera.

Il prit le cheval par la bride.

– Allez, Beau-Sire, avance et tout doux, tu entends, tout doux !

D'une voix devenue, elle aussi, tellement douce que Guillaume acheva d'être désorienté : quel homme était donc ce Bertrand qui parlait avec plus de tendresse aux bêtes qu'aux humains ?

CHAPITRE IV

LA STATUE D'ISAÏE

À mesure qu'ils avançaient, la vallée se rétrécissait, le paysage semblait se replier sur lui-même. Finies les larges trouées claires, les longues bandes alternées des prés et des labours, les vignes et les routes bien entretenues de régions ouvertes, peuplées, où l'on respirait.

Maintenant, la forêt fermait tout horizon, poussait jusqu'au ras de l'eau les tentacules vertes des aulnes et des saules, faisait courber les têtes sous sa voûte étouffante. Le chemin se réduisait souvent à un sentier où ils ne pouvaient avancer qu'un par un.

Parfois, de grands quartiers de roches rousses surplombaient la rivière. Des châteaux y dressaient leurs donjons de bois ou de pierre au sommet desquels claquaient des bannières – inquiétants repaires d'aigles qui les faisaient se sentir aussi faibles qu'une troupe d'agneaux naissants !

Alors, ils se serraient les uns contre les autres, pressaient l'allure sans oser chanter ni même parler, la peur au ventre, l'esprit hanté de mille songes noirs, de récits d'effroi, de vols et de morts.

Puis, dans une clairière, surgissait un village, quatre masures tassées sur elles-mêmes autour de leur église, parmi les cultures maigres étagées en terrasses. À retrouver le ciel, le vent, les nuages, le soleil – même s'il était de plomb – tous reprenaient courage. Pour peu qu'un paysan leur signalât une fontaine miraculeuse ou la hutte d'un saint ermite, maître Géraud y entraînait son monde comme pour exorciser, à grand renfort de patenôtres, de nouvelles peurs à venir.

Le groupe des marchands s'était agrandi depuis Bergerac et Domme. Ils étaient cinq à présent dont deux, père et fils, se rendaient à Souillac où ils tenaient un commerce d'épices. Dans le sillage de leurs mules flottaient des odeurs de cannelle, de safran, de poivre qui faisaient éternuer le quéreur et rêver Guillaume. De la même manière que le faisait rêver l'anneau aux doubles pierres qui frottait sur sa peau au rythme de la marche.

De nouveau, il allait à pied. Il n'était pas question de monter à cheval avec ces branches basses qui griffaient de partout. D'ailleurs, il était presque guéri depuis que le frère infirmier de l'hospice de Domme lui avait bandé les pieds et donné des sandales de toile. Bertrand avait repris Beau-

Sire et le menait par la bride. Toujours en fin de file, un peu distant des autres, toujours silencieux, plus sombre, semblait-il, depuis que l'on avait commencé à croiser ici et là des groupes de gens d'armes.

Les premiers avaient impressionné Guillaume. C'était juste avant d'arriver à Lalinde. Ils avaient surgi de la courbe du fleuve, étincelants sous leurs armures de fer qui cliquetaient au trot des chevaux, avec leurs écus accrochés au bras, peints d'une croix écartelée, verte sur un fond rouge et un lion hissant dans le carré d'en haut. Celui qui marchait en tête portait en bout de lance une bannière peinte de la même façon.

Ils tenaient toute la route et les pèlerins avaient dû se jeter précipitamment dans les fourrés des bas-côtés pour éviter d'être piétinés par les sabots des chevaux.

En voyant leur piteuse troupe enfoncée dans les épines et les ronces, un des hommes d'armes avait éclaté de rire. Guillaume avait porté machinalement la main à sa joue encore mal cicatrisée comme si ce rire eût été un autre coup de fouet que lui aurait lancé Bérard-le-Rouge.

Il s'était redressé, allait bondir du fourré – et tant pis pour ce qui arriverait ! – quand Bertrand l'avait retenu de sa poigne de fer qui avait maîtrisé Jean-le-Rat :

– Tiens-toi tranquille ! Tu veux te faire tuer ?

Lorsqu'il n'était plus resté sur la route que le

flot de poussière levé par leurs chevaux, Bertrand avait dit, entre ses dents, comme pour lui seul :

– Les armes de Montaigu. Je me demande...

Il n'avait pas achevé sa phrase. Guillaume l'avait questionné :

– À quoi les reconnaissez-vous ? À leurs écus peints ?

– Bien entendu ! Pas à leur mine ! Encore que...

Il avait eu un ricanement. Guillaume n'avait pas osé demander comment il les connaissait. Il avait opté pour une question moins directe :

– Où s'en vont-ils ?

– En Espagne, je suppose. Combattre les Maures. À l'appel du pape et du roi de León. Tu n'as jamais entendu parler de cette autre croisade ? Les Maures aussi sont des païens et Cordoue est moins loin que Jérusalem !

Il y avait du mépris dans sa voix, dans ses yeux, dans le pli de sa bouche. Guillaume, alors, s'était risqué :

– Est-ce vrai que votre cheval en vient ?

– De Jérusalem ?

Bertrand se moquait, à son habitude.

– Non, fit Guillaume impatienté, de Cordoue !

– Demande-le lui !

Ironique, insaisissable, le visage abrité sous son chapeau à grands bords. Qui était-il ? D'où venait il ? Comment connaissait-il aussi bien les armes des chevaliers que l'on continuait à croiser, s'il n'était pas chevalier lui-même ?

Et pourquoi prenait-il cet air impatienté quand les marchands d'épices de Souillac commençaient à vanter les splendeurs de leur église abbatiale toute neuve ?

Il est vrai qu'ils étaient irritants ! Et leur Sainte-Marie par ci, et leur Sainte-Marie par là – c'était le vocable de l'église – et le grand portail avec ses sculptures, et le grand trumeau avec la statue d'Isaïe ! Ah, cet Isaïe ! Lorsqu'ils en parlaient, ils en avaient la bouche pleine, comme d'un melon juteux par un jour chaud ! De la statue, ils passaient au tailleur de pierre qui l'avait sculptée, le maître d'un atelier du Languedoc qu'ils appelaient par son surnom, le Catalan.

Un soir, Bertrand avait dit, de ce ton bref qui faisait aussitôt le silence :

– L'Isaïe est beau mais le Catalan ne fera jamais mieux que son Jérémie de Moissac !

Et il s'était rencogné dans l'ombre pour échapper à la fois aux regards et aux questions. Depuis, Guillaume se heurtait à ce nouveau mystère : comment Bertrand connaissait-il ce sculpteur de pierre et cette statue de Moissac : Jérémie, un autre prophète ?

Une fois, en pensant à son anneau, il lui avait demandé :

– Existe-t-il des armes de chevalier portant une étoile et un quartier de lune ?

– Une étoile ? Un quartier de lune ? Pourquoi pas le firmament en entier ou la mer avec ses poissons !

Une réponse et un rire qui lui avaient fait mal.

Mais le pire se produisit juste avant d'atteindre Souillac. Au matin de la dernière étape, Bertrand avait disparu et son cheval maure avec lui ! Et tous ces gens qui s'étaient très peu souciés de la disparition de Jean-le-Rat – juste des moqueries : "Il doit être resté sous le battant de quelque poulailler !" – se montrèrent consternés de l'absence de Bertrand.

Le plus navré de tous était, bien sûr, Guillaume. Il lui semblait, tandis qu'il reprenait la marche, qu'il venait de perdre Arnaud de Craon pour la seconde fois !

*

* *

Toute la matinée, il attendit, guetta, se retourna cent fois dans l'espoir de voir réapparaître Bertrand. Vainement, il avait bel et bien disparu...

Ils arrivèrent à Souillac à l'heure de la méridienne. La canicule, dans ce fond de vallée, avait grillé les herbes et, sur les pentes dominant le fleuve, les feuilles des vignes étaient rouges comme à l'automne.

Du chantier qui entourait l'église abbatiale en voie d'achèvement le moindre souffle d'air levait une poussière fine, de sciure de pierre et de sable.

On commençait juste à peindre de fresques les murs intérieurs. Ceux de dehors aveuglaient de blancheur sous le soleil, mais les toits des trois coupoles avaient le ton rose orangé de certaines baies d'alisier.

Au bord de la rivière, l'air miroitait, diapré comme des ailes de libellule. Guillaume, de plus en plus désemparé par l'absence de Bertrand, errait à travers de petites rues pleines d'ombres où des portes s'ouvraient sur des fraîcheurs de caves.

Il ne pouvait penser qu'à Bertrand. Pourquoi était-il parti ? Pour aller où ?

Il y pensait tant que lorsque vint le crépuscule, diffus et bleu comme les fumées qui sortaient des tóits, et qu'il aperçut, sur un des côtés de l'abbatiale une haute silhouette maigre, un grand chapeau à bords rabattus, il pensa d'abord qu'il rêvait ! Il se pinça. La vision ne disparut pas. Tout le contraire ! Elle se précisa. C'était bien Bertrand qui s'approchait du porche, en chair et en os, en bliaud gris, absolument rien d'un fantôme ! Et, pourtant, Guillaume le suivit, doucement, furtivement comme s'il craignait encore de le voir se fondre dans l'air !

Bertrand n'accorda pas un regard au porche ni au grand relief du tympan avec sa légende du clerc Théophile, ni au sacrifice d'Isaac. Il alla droit au grand trumeau, s'arrêta, prit un peu de recul comme pour mieux juger d'un ensemble.

Guillaume, alors, vit à son tour la statue d'Isaïe. Du lourd collier à cabochons en losanges sortait l'admirable visage ; les prunelles, entre les paupières longues, semblaient étinceler. Une joie éclatait, palpitait jusque dans les plis ondulants du manteau de pierre, dans la bordure d'orfroi ciselé qui faisait plomber le drapé.

Guillaume, fasciné, en oubliait Bertrand. Il n'avait jamais vu de statue aussi belle. Et voilà que Bertrand s'en rapprochait, suivait du doigt les mèches de cheveux, les raies de la barbe, l'arrondi du bras, le modelé des doigts posés sur le texte biblique. Il murmurait :

– Tant de beauté...

Puis, sur un autre ton, amer, désespéré :

– Tant de douleur...

Il appuyait sa tête sur la pierre, un instant, puis, dans un geste brusque qui ressemblait à un arrachement, il se redressait et s'enfuyait.

Guillaume, pris de court, le vit s'enfoncer dans une ruelle. Lorsqu'il s'y élança à sa suite, elle était vide mais, au bout, s'ouvrait la porte d'une taverne. Des rires et des chansons en sortaient. Et aussi d'une treille placée derrière la maison où l'on avait installé, par cette soirée chaude, des escabeaux et des tables.

Guillaume n'osait pas entrer car il n'avait pas d'argent mais il repéra une haie de lauriers qui bordait l'autre côté de la treille, le long d'une venelle. Il s'y glissa. Il pouvait ainsi voir sans être vu. Et ce qu'il voyait l'inquiétait !

Bertrand avait jeté à terre son chapeau. Son visage avait un air un peu hagard. Il s'était fait apporter un pichet de vin qu'il vida d'un trait. Il en commanda un second qu'il vida de même. Puis il frappa du poing sur la table et réclama un jeu de dés. Une fille lui en apporta un. Il la saisit par la taille, la fit asseoir près de lui, cria :

– Joue !

La fille hésitait, le regardait, riait et finissait par appeler :

– Éloi ! Éloi !

Un homme arriva, jeune, petit, avec une vilaine cicatrice rouge qui déformait sa bouche. Il s'installa en face de Bertrand et fit rouler les dés. La partie commença.

Peu à peu, la nuit vint. Derrière la haie, Guillaume tout engourdi ne voyait plus que la lueur d'une torche de résine qui brûlait, accrochée au mur dans un anneau de fer. Par instants, un visage ou l'autre émergeait de l'ombre. Il lui sembla que plusieurs hommes s'étaient joints à Éloi et que Bertrand commandait à boire d'une voix de plus en plus rauque. Il faillit s'en aller. Il avait soif, lui aussi, et faim. Pour fêter leur séparation, le marchand d'épices avait invité à souper chez lui tout le groupe des pèlerins. Pourquoi ne pas les rejoindre ?

Quelque chose le retenait. C'était peut-être la souffrance qu'il devinait chez Bertrand.

Que cherchait-il à oublier en jouant aux dés et en buvant ? Peut-être également une crainte : cet Éloi avait l'air d'un vrai brigand !

*

* *

Soudain, les événements se précipitèrent. Bertrand se leva en titubant, oubliant son chapeau par terre. Il quitta la taverne, escorté d'Éloi et de deux autres hommes, passa devant la haie de lauriers où Guillaume se tenait caché. La venelle était déserte et finissait en cul-de-sac. Brusquement, d'un coup sur la tête, Éloi assomma Bertrand qui tomba de tout son long. Alors les trois brigands se baissèrent pour tâter ses poches.

Guillaume surgit de derrière la haie et, faisant tournoyer son bâton, les frappa si vite et si rudement que deux s'effondrèrent. Éloi eut le temps de se redresser et tira son couteau. La lutte devenait trop inégale. Guillaume lui lança son bâton dans les jambes et s'en alla en courant chercher du secours.

La maison du marchand d'épices était assez proche. Il tomba en plein milieu du souper. Le vin avait échauffé les teints et les esprits. Aussi, lorsqu'il entra en trombe, criant : « Vite ! À l'aide ! On égorge l'un des nôtres ! » les convives se dressèrent, maître Géraud en tête, saisirent leurs bourdons et, se bousculant pour sortir, criaient :

– Lequel des nôtres ? Où ça ? Conduis-nous ! Pour Géraud ! Pour l'abbé !

Ce fut, dans la rue, un beau vacarme. Guidés par Guillaume, ils coururent à la taverne. Au bruit, la fille était sortie et commençait à tirer l'un des voleurs par les pieds pour le cacher sous la haie. Mais en voyant la troupe arriver elle le lâcha et s'enfuit. Éloi avait filé.

Les pèlerins se précipitèrent pour relever “leur chevalier”, comme criait à tue-tête Géraud le drapier. Des volets battirent, des portes s'ouvrirent, des gens s'interpellèrent. Guillaume, un peu gêné par tant de tapage, suivit le cortège qui portait, à bras d'hommes, Bertrand encore évanoui.

Le marchand d'épices voulut à toutes forces qu'on l'installât chez lui, sur la meilleure couette de son unique lit, et quand on vit qu'il avait repris ses sens et qu'il ronflait, tous revinrent à leur souper. Guillaume, cette fois, les accompagna. Il mangea de bon appétit. Un peu inquiet tout de même à la pensée de ce que dirait Bertrand lorsqu'il se réveillerait dans le lit du marchand !

Ce fut le lendemain vers midi. Les pèlerins étaient allés faire leurs dévotions. Le marchand d'épices était retenu à son comptoir. La chambre était vide. L'odeur des épices montait par les fentes du plancher, exacerbée par la chaleur, et prenait à la gorge. Le visage de Guillaume ruisselait de sueur. Il avait ôté sa chemise et s'était mis torse nu. Sur sa poitrine, pendait la bourse en cuir qui contenait l'anneau.

Un grognement de Bertrand le fit se précipiter vers le lit. Bertrand se frotta les yeux, se dressa, regarda d'un air effaré Guillaume puis la chambre. Il eut une moue narquoise qui lui rendit son visage habituel et ordonna :

– Raconte !

Guillaume, sans trop oser le regarder, raconta.

Lorsqu'il eut terminé, Bertrand garda un instant le silence puis il eut un petit rire :

– Eh bien, nous voilà quittes ! Chacun de nous a sauvé un peu de l'autre !

Il regardait la bourse de cuir sur la poitrine de Guillaume. Mais, pas plus que dans la grange de Sainte-Foy, après la tentative de vol de Jean-le-Rat, il ne posa de questions à son sujet. Il se contenta de demander :

– Hier, depuis quand me suivais-tu ?

Guillaume dit, assez bas :

– Depuis que je vous avais vu devant la statue d'Isaïe.

Bertrand poussa un soupir, se leva, se tint un moment face à la lucarne par où l'on apercevait un pan de la tour abbatiale. Puis il se tourna vers Guillaume :

– Viens !

Ils sortirent. Dans les rues, la chaleur était comme liquide. Guillaume avait remis sa chemise et coiffé son chapeau. Bertrand allait, tête nue.

Son bliaud gris était tout maculé de vin et, sous cette lumière crue qui accusait les rides de son visage, il paraissait plus vieux que d'ordinaire. À nouveau, Guillaume se demanda quel âge il pouvait avoir. Trente-cinq ans, peut-être ?

Ils se retrouvèrent devant la statue d'Isaïe.

– Regarde-la bien, dit Bertrand. Elle est la perfection, un art parvenu à sa plénitude. Je donnerais ce qui me reste de temps à vivre pour l'avoir sculptée !

– Vous savez sculpter la pierre ? s'écria Guillaume.

– C'est même mon seul métier ! Te voilà déçu !

– Non... mentit Guillaume. Non !

Son ton manquait de conviction.

– Oh si, tu es déçu ! Tu aurais tant voulu que je sois un chevalier ! Eh bien, sois content tout de même, mon père en était un. C'est pour le fuir que je suis devenu ce que je suis. Parce que je le haïssais !

Il regarda encore un moment le prophète de pierre puis se détourna et, sans entrer dans l'église, revint chez le marchand.

Le soir, il offrit, à son tour, un repas à l'auberge du Cygne pour remercier les autres pèlerins d'avoir aidé à le sauver. Et il but à nouveau beaucoup de vin.

Le lendemain matin, au moment de reprendre la route, il annonça qu'il se séparait d'eux. Ils partaient vers Rocamadour et Conques. Lui désirait se rendre à Beaulieu.

Personne ne se risqua à discuter sa décision tant son visage était fermé, son regard dur. Ils lui souhaitèrent bonne route et le regardèrent charger sur son épaule le sac que, d'ordinaire, il accrochait à sa selle de son cheval.

Seul, Guillaume s'étonna :

– Où est Beau-Sire ?

– Je l'ai perdu aux dés. Le premier soir.

Son grand chapeau retrouvé, son rire bref, sa bouche ironique et cette silhouette maigre qui commençait à s'éloigner... Guillaume saisit son bâton, sa besace et, sans hésiter, cria :

– Attendez-moi ! Je viens avec vous !

Bertrand ne se retourna pas, continua à marcher. Guillaume le rattrapa, tout essoufflé.

– Je te préviens, dit Bertrand d'un ton grave. Je n'irai pas à Conques. Jamais.

– Tant pis !

– Que dira Arnaud de Craon ?

– Quand le saura-t-il ? Et, d'ailleurs, que pourrait-il dire ? En vous suivant, il me semble que c'est un peu lui que je suis !

Bertrand fit la grimace mais, pour la première fois, ses yeux étaient gais.

CHAPITRE V

LES TOURS DE MERLE

Il pleuvait lorsqu'ils arrivèrent, un soir, à Beaulieu. La ville leur parut triste, noyée dans le crachin, au bord de prés humides. Il faisait presque froid. Les chaleurs de Souillac et l'été semblaient loin, dans ces bois en pente, ruisselants de pluie qui avaient l'air d'enfermer la ville entre des murs de feuilles et de branches.

Ils ne trouvèrent qu'une mauvaise auberge où ils durent se contenter d'un souper de fèves mal cuites, de raves crues et de lard rance, avant de partager, avec deux autres voyageurs, une paillasse d'herbes qui sentait le moisi et une couverture déchirée où sautaient les puces.

Le matin se leva, aussi pluvieux, aussi froid. Le brouillard noyait le contour des collines, et les cloches de l'abbaye qui sonnaient à la volée prenaient des tintements de glas !

À la stupeur de Guillaume, Bertrand décida de partir sur-le-champ.

– Sans voir l'abbaye ?

– Sans la voir.

– Mais je croyais que vous vouliez... que les sculptures vous intéressaient... bredouilla Guillaume.

– Pas celles-là !

– Alors pourquoi venir ici ? Nous être séparés des autres ?

– Parce que je connais ces sortes de fouines ! Après l'aide qu'ils m'avaient apportée, ils se seraient cru le droit de me poser des questions. Je n'avais pas envie d'y répondre.

– Ne pas répondre ! Ne pas questionner ! Toujours se taire ! s'écria Guillaume avec amertume. Mais moi, j'étouffe de ne pouvoir parler à personne de ce qui me tient le plus à cœur ! Ma naissance ! Je veux savoir qui était mon père, s'il était serf ou marchand, baladin ou...

– Chevalier, fit Bertrand avec ironie. Toujours le même refrain !

– Oui, reprit avec violence Guillaume, chevalier. À cause de ça !

Il tira la bourse de cuir et tendit l'anneau à Bertrand.

– Je le portais sur moi quand le prieur de Craon m'a trouvé. Que pensez-vous que ce soit ?

Bertrand prit l'anneau, l'examina et répondit calmement :

– Un bel anneau, orné de deux très belles pierres, un rubis et une émeraude.

– Et l'étoile ? Et le croissant de lune ?

– Sont une étoile et un croissant de lune ! Que puis-je te dire d'autre ?

– Le prieur de Craon pensait que c'était un anneau païen, peut-être maure.

Bertrand perdit soudain son air indifférent :

– Et que sait-il des païens, ton prieur ? Que sait-il des Maures ? A-t-il vécu près d'eux ? À Cordoue, à Grenade, à Damas ? A-t-il vu leurs mosquées, leurs palais, leurs jardins, le miracle d'eaux ruisselant là où n'étaient que sables et déserts ? A-t-il fréquenté leurs universités ? Écouté leurs poètes ? Vu et entendu leurs médecins ?

Il secoua violemment la tête :

– Non ! Tous les mêmes ! Englués dans leurs certitudes, entre leurs églises et leurs couvents qu'ils prennent pour l'univers, repliés sur leur foi qu'ils aveuglent, par crainte sans doute qu'elle ne leur échappe ! Ne voulant rien savoir, rien connaître d'autre ? Tu sais ce qu'ils disent, les copistes bénédictins, quand ils trouvent un manuscrit grec ? "C'est du grec, ça ne se lit pas !" et ils le laissent dans un coin ! Mais, à Cordoue, à Grenade, à Bagdad, on lit Aristote et Platon ! Des philosophes grecs dont ton prieur de Craon n'a jamais entendu parler !

– Je ne sais pas, dit Guillaume que cette colère

effrayait. Mais il est très savant. Il m'a appris à lire !

La colère de Bertrand céda aussi brusquement qu'elle était née :

– Dans ce cas... fit-il avec une moue moqueuse...

Il tenait toujours l'anneau dans sa main :

– De quoi as-tu peur ? C'est vrai que ce travail de ciselure de l'or rappelle celui des artisans maures que j'ai pu observer dans leurs ateliers de Cordoue. Et j'ai vu également des gardes d'épée, des fourreaux de poignard très semblables qui venaient de Damas. Les Arabes ont un énorme empire. Et ceux que nous appelons Maures n'en sont qu'un très petit fragment.

– Alors, vous aussi vous croyez que mon père était un Maure païen !

– Je ne crois rien du tout ! Même si cet anneau est maure, ce n'est pas une preuve suffisante pour affirmer que ton père l'était... ou ta mère... car cette bague peut venir aussi bien de l'un que de l'autre. Tu y as songé ?

– Comment n'y pas songer avec tous les récits que l'on entend de ceux qui reviennent de Galice ou de Terre sainte ! Mais que ma mère ait été mauresque ou païenne m'importe moins que de savoir...

– Si ton père n'est pas un chevalier chrétien ! coupa ironiquement Bertrand. Tu en rêves de cette chevalerie ! Pour en faire partie, tu donnerais ta part de paradis !

– On voit bien, dit avec rancœur Guillaume, que vous n'avez jamais été serf !

– C'est vrai, reconnut Bertrand. Mais ce comte Bérard qui t'a si bien entaillé le visage avec son fouet, il l'était, lui, chevalier ! Tu trouves que c'est un modèle exaltant ? As-tu quelquefois pensé que ton père pouvait lui ressembler ? Les preux chevaliers, défenseurs des humbles, courtois envers les dames, vaillants au combat, il en existe, je ne le nie pas, mais il existe aussi beaucoup de Bérards !

Guillaume avait baissé la tête. Bertrand posa sa main sur elle, dans un geste affectueux, protecteur :

– Penses-y parfois ! Et que, s'il est amer de ne pas connaître son père, il l'est bien plus de le connaître sous un jour tel qu'on ne puisse ni l'aimer ni le respecter !

Sa voix était devenue sourde et il haussa les épaules non comme on se moque mais comme on rejette un fardeau trop lourd. Guillaume n'osait rien dire. Ce fut Bertrand qui reprit après un temps de silence, de son timbre sec, retrouvé :

– Assez philosophé ! J'ai hâte de partir d'ici. Tout ce brouillard est signe que l'automne approche et nous devons traverser les monts d'Aubrac avant que la neige ne commence à tomber. Je ne serai tranquille qu'après, lorsque nous aurons atteint les pays du Rhône.

– Descendrons-nous ensuite jusqu'à la mer ?

Les yeux de Guillaume brillaient de cet espoir. Bertrand eut un demi-sourire :

– Si Dieu le veut ! comme dirait ton prieur de Craon. Mais en attendant, il nous faut marcher !

*

* *

...Pour marcher, ils marchaient ! Depuis des heures, à travers un paysage sauvage, des épaisseurs de châtaigniers, des fougères plus hautes qu'eux, des touffes de bruyère où leurs pieds se prenaient comme dans des pièges à loups. La pente était rude, le sol bourbeux glissant, avec toutes ces feuilles mortes, ces mousses gorgées d'eau et ces champignons ! Et depuis des heures, ils n'avaient vu ni une maison, ni un être vivant, si l'on exceptait les geais et les corbeaux.

Bertrand avait décidé de couper au plus court, par un chemin peu fréquenté, mais qui leur évitait le crochet d'Aurillac et devait les mener, en deux ou trois jours, environ, aux abords de l'Aubrac. Un boucher de Beaulieu, qui allait acheter des bêtes vers Saint-Bonnet et les gorges de la Cère, les avait guidés un moment. En les quittant, il avait dit :

– Aux fourches ou aux croisements, prenez toujours en direction du levant.

Encore aurait-il fallu qu'un peu de soleil les aidât à distinguer le levant du couchant et le nord du midi !

Soudain, ils aperçurent une clarté, entre les branches ; ils s'en approchèrent avec prudence. Bien leur en prit ! À deux pas, derrière le rideau d'arbres, s'ouvrait un à-pic vertigineux ; des touffes d'épineux s'agrippaient à des éboulis. Au fond, coulait un torrent et sur un énorme rocher que les eaux entouraient, deux tours se dressaient dominant un ensemble de bâtiments disparates d'où montaient des fumées.

En haut d'une des tours, flottait une bannière, à deux merlettes affrontées sous un arbre.

– Les tours de Merle ? demanda Guillaume, avec l'espoir que Bertrand le contredirait.

Car ce qu'ils avaient entendu raconter, à Beaulieu, sur le châtelain de Merle, Guy, et sur ses hommes, n'était pas bien réconfortant !

Bertrand hocha la tête :

– Ça m'en a tout l'air ! Nous avons dû nous tromper à l'un des croisements. Rebroussons chemin, tant pis ! S'il le faut nous coucherons dans la forêt !

Ils n'en eurent pas le temps ! Quatre hommes venaient de surgir derrière eux, barbus et chevelus, vêtus de casaques de cuir, l'arc à l'épaule et la dague au côté.

Avant qu'ils aient pu esquisser un geste, Guillaume et Bertrand furent encadrés, encordés et traînés, à travers des pierrailles et des éboulis, jusqu'au bord du torrent. Ils le franchirent sur un tronc d'arbre, remontèrent par un chemin creusé dans le roc jusqu'à un embryon de village qui s'y adossait : quelques masures, des étables. Des poules picoraient du fumier. Des enfants couraient. Ils regardèrent à peine Bertrand et Guillaume. Le spectacle devait leur être familier !

*

* *

Le chemin continuait à monter. Ils parvinrent enfin au château, entrèrent dans une salle voûtée, enfumée et très sombre. Le feu seul éclairait. D'autres hommes, accroupis devant le foyer, jouaient aux osselets. Ils ne se levèrent même pas. Sauf un qu'on appelait Aubert et qui semblait faire figure de sergent.

Il s'approcha des prisonniers et commença à les fouiller. Les poches vides de Guillaume lui firent faire la grimace. La vue de l'anneau le rasséréna. Il le fit sauter dans sa main avec un petit sifflement. Guillaume avait la gorge contractée de rage. Jamais, même face à Bérard, il ne s'était senti aussi impuissant !

La bourse de Bertrand fut posée sur un banc et leur besace vidée à terre. En voyant qu'elles ne contenaient rien de précieux, Aubert, mécontent, fit avancer les prisonniers, à grands coups de poing et de pied, à travers une cour grossièrement pavée jusqu'au bas d'une des deux tours, puis dans un escalier où ils crurent tomber dix fois tant les marches étaient glissantes d'humidité et eux maladroits comme des hannetons sur le dos, avec leurs poignets et leurs chevilles liés !

Un dernier coup de pied d'Aubert les projeta dans une nouvelle salle, jonchée de paille fraîche dont l'odeur compensait un peu celle de peaux d'ours amoncelées dans un coin, sur un lit. Un feu énorme brûlait à moitié cheminée.

Un jeune garçon se tenait devant. Petit et mince, avec un visage étroit et des yeux étrangement clairs : ils faisaient penser à une eau sans transparence – celle d'un étang plein d'herbes. Il était vêtu avec recherche d'un bliaud de soie verte qui le faisait paraître plus pâle, et ses mains étaient blanches et fines, chargées de bagues. Un chaperon couvrait ses cheveux.

Guillaume regardait, étonné, ce sire de Merle qui lui semblait si peu conforme aux récits qu'on faisait de lui. Bertrand l'observait également et peu à peu un sourire naissait au coin de sa bouche.

Brusquement, une tenture de cuir s'écarta. Un homme entra, grand et gros, vêtu d'une robe de laine rouge. En deux enjambées, il fut devant la cheminée, et, arrachant le chaperon, cria :

– Isaut ! Je t'avais interdit de te déguiser en homme !

Deux nattes blondes glissèrent sur le bliaud

vert. Les mains fines chargées de bagues eurent un geste nonchalant :

– Je me moque des interdits, fit une voix menue et moqueuse. Sans quoi, serais-je ici, près de vous, Guy de Merle, qui n'êtes ni mon parent ni mon mari ?

Guy de Merle serra l'une contre l'autre ses mains larges aux doigts courts et forts :

– Je pourrais briser ta tête entre mes poings, comme une noix ! Et je le ferai ! Un jour, je le ferai !

– Ce jour-là, vous me rejoindrez en enfer !

Il se signa :

– Tais-toi, sorcière ! Si je te livre au curé, il te fera brûler !

– Et vous avec !

Elle le défiait de ses yeux aussi indéchiffrables que l'eau d'un étang verdie par les herbes. Ce fut lui qui baissa la tête. Elle eut alors un mince sourire de triomphe, prit sur une table un pot d'étain, emplit un gobelet, le tendit à Guy de Merle :

– Buvez ! dit-elle avec une sorte de tendresse. Vous aimez ce vin que je vous prépare.

Il but sans rien dire plusieurs gobelets coup sur coup, leva la main en direction de Bertrand et de Guillaume :

– Approchez !

Ils avancèrent maladroitement. Guy de Merle dit avec colère :

– Beau tableau de chasse ! Tu peux être fier de toi, Aubert ! Pas même cinq marcs d'argent !

L'homme qui les avait amenés dans la salle protesta :

– La bague est belle !

– Quelle bague ? demanda Isaut.

– Celle-ci ! dit Guy de Merle. Attrape, sorcière, je t'en fais cadeau !

Elle attrapa adroitement l'anneau de Guillaume et se rapprocha du feu pour mieux l'examiner.

Un peu de rose vint à ses pommettes. Son visage s'anima :

– Auquel des deux appartenait cet anneau ?

– Je n'en sais rien, grogna-t-il, demande-le leur !

– Il est à moi, dit Guillaume.

– Il était, corrigea-t-elle. Tu n'as pas entendu ? Le seigneur de Merle me l'offre !

Ses yeux clairs posés sur Guillaume avaient pris un éclat soudain. Guillaume la fixa en retour :

– On ne peut offrir ce qui ne vous appartient pas !

– Quoi ? fit Guy de Merle, furieux. Ce pouilleux ose me tenir tête ? Mais je vais lui en faire passer l'envie !

– Laissez, dit Isaut en plaçant sa main sur la sienne. Pour une fois qu'un de vos prisonniers me distrait ! Je m'ennuie tant près de vous !

Il eut un mouvement de colère, tenta de repousser la main d'Isaut, se leva à demi et retomba lourdement sur son siège. Ses paupières se fermaient. On sentait qu'il luttait en vain contre le sommeil. Isaut le regardait de cet air indéfinissable qui donnait à son visage étroit une expression féline.

– Quelles herbes mêlez-vous à son vin ? demanda soudain Bertrand. De la rue ou de la centaurée ?

Isaut tressaillit, ordonna d'une voix dure :

– Aubert ! Va-t'en !

L'homme d'armes hésita. Elle répéta :

– Va-t'en ou tu le regretteras !

Il dit entre ses dents :

– Moi, je ne vous crains pas !

Elle le regarda avec mépris :

– Comme tu es fort et courageux ! Presque autant que l'était Renaud. Tu te rappelles, Renaud, le beau garçon blanc qui tirait si bien à l'arc ? Mort blessé par sa propre flèche ! Qui l'aurait cru possible ?

À présent, elle souriait à l'homme d'armes dont le visage exprimait la peur. Il courba les épaules et sortit. Affalé au coin de la cheminée, Guy de Merle ronflait.

Isaut le poussa très légèrement du pied :

– Un gros tas de viande autour d'un petit cerveau !

Elle posa de nouveau sur Guillaume ce regard brillant qui rendait ses yeux presque verts :

– Tu as sur la joue une cicatrice fraîche. Qui t'a blessé ?

– Un homme que j'ai fui et que je hais !

– Toi aussi, tu connais la haine !

Elle se détourna, joua un moment avec l'anneau, face au feu. Les deux pierres scintillaient.

– Je n'en ai jamais vu de semblable, dit-elle enfin. D'où le tiens-tu ?

– De mon père que je n'ai pas connu, répondit Guillaume.

Elle caressa les pierres d'un air rêveur :

– Ce devait être un homme riche. Tant mieux pour toi ! Si tu lui paies une rançon, le seigneur de Merle te libérera. Je n'aurais pas aimé qu'il te tue !

– Pourtant il le fera, intervint Bertrand. Car personne ne paiera de rançon et cet anneau est très ordinaire. J'en ai vu quantité de pareils chez les Maures de Cordoue !

Cessant de détailler Guillaume, Isaut se tourna vivement vers Bertrand :

– Tu es allé à Cordoue, chez les Maures ! Oh, raconte !

Elle avait tout à coup un visage enfantin et se montrait telle qu'elle était réellement, très jeune.

Et son pouvoir sur le seigneur de Merle, songea Bertrand, tenait sans doute bien plus à cela, sa jeunesse, qu'aux jeux de sorcière qu'elle devait inventer pour se distraire !

Il répondit d'un ton tranquille :

– Et quand j'aurai fini de raconter, le seigneur de Merle s'éveillera et, moi aussi, me tuera ! Car je n'ai aucun argent et aucune famille.

Elle haussa les épaules :

– Qu'y puis-je ? Je peux l'endormir avec mon vin ou lui faire peur avec mes paroles parce que ses forces diminuent et qu'il craint l'enfer mais, s'il veut vous tuer, je ne peux pas l'en empêcher. Ses hommes sont contre moi !

– Qui a tué ce Renaud ?

Elle ne répondit pas tout de suite, regardant alternativement le feu et l'anneau :

– Le hasard, finit-elle par dire d'une voix lointaine, comme on parle en songe. Ou peut-être lui.

Elle désignait du menton Guy de Merle endormi.

– Mais il ne le dira pas. Il a peur d'eux, même s'il est jaloux. De cette mort, moi j'ai tiré parti...

Et, avec une vivacité soudaine :

– Pourquoi suis-je en train de vous révéler ce que, jusque-là, j'ai tu, même à moi !

– Parce que nous sommes des étrangers que vous ne reverrez plus !

– Non, dit-elle d'un air têtu, il y a une autre raison, je le sens. C'est cet anneau ! Il vient de chez les païens, il est ensorcelé ! Reprends-le ! Je n'en veux pas !

Elle le jeta par terre en direction de Guillaume.

– Pour le reprendre, il faudrait que j'aie l'usage de mes mains !

– Tu vas l'avoir !

Une fébrilité s'était emparée d'elle. Elle prit un couteau de chasse, trancha la corde qui liait les poignets de Guillaume puis celle qui retenait ses chevilles.

Ensuite, elle se dirigea vers Bertrand et fit de même.

– Allez-vous-en ! dit-elle d'un ton farouche. Allez-vous-en tous les deux !

– Les hommes d'armes ne nous laisseront pas passer !

– Si. Avancez d'un air décidé en criant bien haut que le seigneur de Merle vous a libérés. Ils n'oseront rien dire.

– Et lui ? demanda Bertrand en désignant le gros homme qui ronflait tassé sur lui-même et sur ses peaux d'ours.

Elle eut alors ce mince sourire qui la faisait sans âge :

– Je lui dirai que c'est un tour du diable et il croira plus fort à mon pouvoir.

– Prenez garde, dit Guillaume avec élan. Ce jeu n'est pas sans danger !

Elle le regarda, répéta :

– Je n'aurais pas aimé qu'il te tue. Va-t'en !

Ils firent comme elle avait dit, sortirent en clamant que le sire de Merle les avait libérés, et les hommes d'armes les laissèrent passer. L'un d'eux cria :

– Encore un tour de la sorcière !

Ils ne respirèrent qu'une fois revenus dans la forêt. Le soir tombait. Il faisait humide et froid. Guillaume était songeur.

– Pourquoi lui avez-vous raconté que cet anneau était très ordinaire ? Ce n'est pas vrai ! Vous m'avez dit que vous n'en aviez jamais vu de semblable !

– Si elle l'avait cru rare, elle ne te l'aurait pas rendu !

Il eut un petit rire :

– Et si tu avais été bossu, bancroche ou bigle, jamais elle ne nous aurait libérés ! Ne prends pas cet air innocent ! Tu sais très bien ce que je veux dire !

– Vous savez, fit Guillaume en sifflotant d'un air désinvolte, ce n'est pas la première fille à qui je plais !

Et, comme si cette pensée lui avait donné toutes les audaces, il demanda :

– Vous avez vraiment vécu à Cordoue ?

– En douterais-tu ?

– Oh, avec vous, il n'est pas facile de dire ceci est faux, ceci est vrai... Vous êtes si habile à tout brouiller !

– Beau compliment ! Alors, écoute-moi : j'ai vécu à Cordoue, ceci est vrai. J'y ai habité pendant une année, ceci est encore vrai. Je déteste parler de mon passé, ceci est encore plus vrai ! Es-tu satisfait ?

– Il le faut bien ! À votre tour, regardez !

Guillaume tira de dessous son surcot le couteau de chasse avec lequel Isaut avait tranché leurs liens et conclut :

– Je ne crois pas qu'elle soit une vraie sorcière. Elle n'a pas vu que je le lui volais !

CHAPITRE VI

LA CHANSON D'EDESSE

Vinrent une suite de jours identiques, faits des mêmes marches harassantes à travers des forêts qui se ressemblaient toutes, des nuits de hasard, passées tantôt dans des huttes de boisilleurs, tantôt sur la paille des granges lorsque, par chance, il s'en trouvait, le plus souvent à même la terre. Car il n'y avait ni abbaye ni hospice pour pèlerins dans ces contrées qui étaient rudes, à demi sauvages, quasi désertes. Des torrents coulaient au fond de gorges profondes, comme à Merle, mais aucun château n'était bâti sur les rochers.

Bertrand n'avait plus d'argent, et auprès de qui mendier ? Le premier soir, une troupe de charbonniers leur avait donné des galettes dures faites de châtaignes pilées. Ensuite, ils mangèrent ce qu'ils trouvaient dans les bois, des champignons, des fruits sauvages et des herbes qui trompaient la faim à défaut de nourrir !

Avec ça, la pluie les escortait, têtue et fine, un lent suintement qui coulait de toutes ces feuilles, mouillait leurs vêtements qu'ils ne pouvaient faire sécher nulle part.

Bertrand avait pris froid la nuit où ils avaient fui Merle et où ils avaient dû coucher dans la forêt, calés tant bien que mal entre les deux branches d'un hêtre, par crainte des sangliers ou d'autres bêtes. Des loups, ils ne parlaient pas, mais chacun d'eux y pensait.

Ils dormaient peu et mal. Recroquevillé dans son surcot de laine humide, Guillaume pensait à Isaut en bliaud vert et à ses yeux étranges qui n'avaient brillé que pour le regarder.

Peut-être Bertrand y songeait-il lui aussi, car une nuit qu'ils étaient à peu près abrités, au creux de fourrés qui coupaient le vent, il dit tout à coup :

– Tu vois, une chose me console d'avoir perdu mon cheval aux dés, à Souillac, c'est qu'ainsi il a échappé au seigneur de Merle. Car lui, malgré ton charme, la petite sorcière ne nous l'aurait pas rendu !

– Ne l'appelez pas ainsi, protesta Guillaume. Elle nous a sauvés !

– Oui, mon beau chevalier ! ironisa Bertrand. Et, pour l'en remercier, sais-tu ce que je ferai dès que nous aurons atteint le Rhône et des pays plus civilisés ? Je taillerai ses traits dans la pierre blonde, j'en ferai une sirène dans un haut de pilier ou une Ève... juste avant le péché, quand le serpent est en train de parler et qu'elle écoute... Et je lui donnerai le regard qu'elle avait pour te regarder !

– Vos pays de Rhône, quand y serons-nous ? soupira Guillaume. Quand n'aurons-nous plus ni froid ni faim ?

– Bientôt ! Avant deux jours nous devrions atteindre l'hospice d'Aubrac. À la Dômerie, tu te chaufferas et tu mangeras tout ton soûl. Dors, maintenant !

Mais pour pouvoir dormir, il n'aurait pas fallu avoir cet estomac creux qui vous tiraillait jusque dans les côtes, ni ces visions de soupe chaude qui vous faisaient saliver, ni ces douleurs dans tous les membres ! Il n'aurait pas fallu entendre tousser Bertrand – une toux qui lui faisait perdre le souffle – et le tenait presque courbé en deux, parfois. Il n'aurait pas fallu guetter, l'angoisse au cœur, chaque bruit de la nuit, écouter si le vent ne portait pas vers vous le hurlement redouté, le signal de la horde en chasse. La horde des loups.

Bertrand avait dit : plus que deux jours et nous serons sauvés. Nous atteindrons l'hospice de l'Aubrac.

Il avait compté sans le brouillard. Il commença dès que s'espacèrent les arbres et que la lande succéda à la forêt. Ce ne fut d'abord qu'une brume légère, un halo qui voilait le ciel, tremblait au ras des herbes, s'effilochait au vent. Et ils étaient si heureux d'avoir quitté les bois, de respirer de grands coups d'air glacé dans ces espaces enfin nus, qu'ils n'y prirent pas garde. Entre deux quintes de toux, deux essoufflements, Bertrand répétait :

– Nous arrivons ! Cette fois nous y sommes presque !

Presque... Quand commencèrent-ils à se débattre avec l'impression de tourner en rond dans des épaisseurs cotonneuses où rien qu'à tendre le bras, on ne voyait plus sa main ? Tout avait disparu, ciel, sol, pierres, englouti, effacé. Et eux, comme des moutons affolés qui piétinent, ne sachant plus où aller, comment se diriger, à quoi se repérer, se tenant par la main, par peur de se perdre l'un l'autre s'ils se séparaient, s'efforçant encore de garder leur sang-froid, de lutter. Et puis, la fatigue venant, la faim qui fait danser des points brillants devant les yeux, trembler les jambes, tourner la tête, bourdonner les oreilles. L'idée même d'avancer se diluait comme si la brume était maintenant en eux, les avait pénétrés, leur communiquait son flou, sa mollesse. Ils cessaient de lutter, épuisés, hagards, devenus brouillard, et, tombant à terre, y restèrent, sans bouger, sans penser. Vides.

Soudain Guillaume se redressa. Il lui semblait entendre, dans le lointain, une cloche tinter. Un tintement régulier, assourdi comme une goutte d'eau tombant dans un cuveau de bois.

Il secoua Bertrand :

– La cloche ! Vous l'entendez ! La cloche de l'hospice ! Mais réveillez-vous ! Celle dont vous me parliez ! Qui sonne jour et nuit, par temps de brume, pour ceux qui sont comme nous, perdus !

– Tu délires ! On entend toujours des cloches quand on va mourir.

– Mais je ne veux pas mourir ! cria Guillaume. Et vous non plus, je ne veux pas que vous mouriez ! Je ne délire pas ! Écoutez seulement ! Écoutez donc !

Bertrand se souleva péniblement sur un coude :

– Tu as peut-être raison, dit-il au bout d'un moment. Il me semble qu'en effet, on entend tinter une cloche. Loin. Trop loin pour moi. Vas-y seul, tu le peux. Moi, je ne peux plus.

Guillaume agrippa Bertrand par son capuchon :

– Vous allez vous lever, dit-il durement. Et vous marcherez ! Il faut que vous marchiez, vous entendez ! Mar-cher ! Le salut est là, tout près ! Je vous aiderai !

– Allons, fit avec un soupir Bertrand. Je vais essayer !

Guillaume dut presque le soulever de terre.

– Appuyez-vous sur moi. La cloche ne sonne pas si loin que ça ! C'est le vent qui porte en sens inverse de nous. Mais dès qu'il se calme, écoutez comme le tintement se rapproche ! L'hospice est sûrement tout près...

– Sans doute, haleta Bertrand, mais je n'ai plus assez de forces...

Guillaume le traîna, à demi évanoui, jusqu'à ce qu'enfin émergent de la brume un haut mur de granit, une porte. Elle était ouverte sur une cour carrée encadrée de bâtiments. Guillaume réussit à faire encore quelques pas en direction d'un frère qui accourait et s'affaissa entre ses bras en murmurant :

– Dehors, contre la porte... un autre homme...

Il reprit conscience dans la cuisine de la Dômerie où le frère l'avait porté parce que c'était le lieu le plus proche et que lui-même était cuisinier. Et d'abord, Guillaume regarda, ahuri, les cinq cheminées où brûlaient des feux, où pendaient des marmites, où cuisaient des viandes, et ce gros homme au visage luisant, une croix bleue cousue sur sa robe noire, qui lui tendait un bol en bois et disait :

– Doucement ! Ne va pas manger trop vite. C'est mauvais quand on a trop longtemps jeûné, ce qui a l'air d'être ton cas !

Il riait :

– Qui croirait que, moi aussi, je jeûne ! Regarde-moi cette futaille que le Seigneur m'a donnée pour corps ! Dans toute la Dômerie d'Aubrac, c'est devenu un proverbe : gros comme le frère Anselme ! Pour moi, c'est la fumée des plats qui me nourrit. En ce moment, la cuisine est vide, c'est l'heure de l'office. Moi, c'est mon tour de garde auprès des marmites ! Si tout le monde s'en allait, tout brûlerait. Et mes trois cents Pater, je les récite aussi bien ici qu'à la chapelle, tu sais !

Guillaume écoutait sans en saisir le sens ce flot de paroles qui battait ses oreilles comme les vagues de la mer. Il avait achevé sa soupe. Le frère remplit une grande cuillère à pot, la vida dans le bol :

– Bois encore ça. Après, tu t'arrêteras. Je te conduirai dans la salle des pèlerins. L'hospice est plein. Les gens se hâtent de rentrer chez eux avant l'hiver et on les comprend ! L'Aubrac, c'est terrible, en hiver ! Rien que la neige, si loin que tu regardes et le vent qui hurle jour et nuit et les loups qui viennent, par bandes entières, rôder le long des murs. Ces jours-là, il ne ferait pas bon laisser la porte ouverte ! Vous n'en avez pas croisé, de loups ?

– Non, répondit Guillaume qui reprenait des couleurs et dont les idées redevenaient claires.

– C'est une chance ! Des pèlerins venant de Conques ont été attaqués avant-hier. Ils ont dû sacrifier leurs mules pour éviter d'être dévorés !

...Conques, Robert de Blois, Arnaud de Craon... Et Bertrand ? Où était Bertrand ?

– Mon compagnon ? fit Guillaume angoissé.

– Ne t'inquiète pas ! Je l'ai ramassé, aidé du frère portier, et nous l'avons mis à l'infirmerie.

Pauvre homme ! Il est bien maigre ! C'est ton père, peut-être ?

– Non. Je l'ai rencontré à Bazas. Il venait d'Espagne.

– De Saint-Jacques en Galice, sûrement ! précisa frère Anselme de l'air de celui qui connaît ses lieux saints.

Guillaume fit oui, de la tête. Ce n'était pas le moment de se mettre à parler de Cordoue et des Maures !

– Et qu'est-ce qu'il est ton compagnon ? Un marchand, peut-être ?

Le frère Anselme était décidément aussi curieux que bavard ! Guillaume, un peu agacé, dit assez sèchement :

– Marchand ? Le fils d'un chevalier !

Frère Anselme en lâcha sa cuillère à pot qui tomba dans la soupe avec un petit "flop", en faisant des bulles.

– D'un chevalier ! Tu ne pouvais pas le dire plus tôt ! D'un chevalier ! Et moi qui l'ai porté dans la salle commune ! Si le père abbé l'apprend, me voilà privé de vin pour six repas au moins ! Et combien d'Ave et de Pater à réciter en plus ! Vite, vite ! Heureusement que c'est vigile de fête et les vêpres d'aujourd'hui sont longues ! Je vais le faire porter dans une des cellules où l'on soigne les chevaliers !

Si gros que fût le frère Anselme, il ne manquait ni d'agilité ni de rapidité. On aurait dit que sa “futaille”, comme il appelait son corps, roulait !

En un rien de temps, il eut disparu.

Guillaume resta seul dans la cuisine. Il se servit tranquillement un troisième bol de soupe. Elle était bonne, il avait chaud, il se sentait bien, un peu engourdi. Il s’endormit, d’un coup, près des chaudrons, en pensant à la mine que ferait Bertrand quand il se verrait parmi les chevaliers ! Et, dans son sommeil, il souriait.

*

* *

– Alors, sire Guillaume, beau marchand en tromperies, nous voici tous les deux chevaliers ? Adoubés par le vent, armés par le rêve, proclamés par ruse et imagination ! Compliment !

Sous les couvertures en peaux de loup, adossé aux coussins de laine, Bertrand souriait avec malice. Guillaume respira : il n’était pas vraiment fâché !

– Jamais je n’ai dit que j’étais chevalier ! protesta-t-il. Vous seul. Et encore, j’ai dit : fils de chevalier. Mais le frère Anselme parle tant qu’il amplifie tout !

– Pour parler, il parle ! soupira Bertrand. Et tu m’as mis dans de beaux draps avec tes mensonges ! Si tu savais tout ce qu’il me faut inventer pour taire mon vrai nom aux chevaliers qui me soignent ! Ils sont aussi curieux que dévoués !

Il leva les yeux au ciel :

– Et les dames nobles qui sont ici, c'est pire encore ! Sous couvert de te laver les pieds, leurs yeux questionnent sans répit !

– Sont-elles belles ? Je n'en ai vu encore aucune !

Bertrand fit la moue :

– Elles sont saintes !

Guillaume éclata de rire :

– Vous ne sculpteriez pas leurs traits en haut d'un pilier, en sirène ou en Ève ?

– Certainement pas ! Mais toi, tu y penses toujours, à cette petite diablesse de Merle ?

– Oh, de temps en temps, pas plus ! Je suis très occupé ! Le frère Anselme m'emploie au lavoir et à la cuisine et il me laisse monter les plats dans la salle où mangent les chevaliers, ceux qui soignent les pèlerins mais aussi les autres qui ne passent ici qu'une nuit ou deux et repartent. Ils racontent des histoires que j'aime entendre, des tournois, des combats, des dames dont ils portent les couleurs...

Il regarda Bertrand qui avait fermé les yeux après une quinte de toux plus forte :

– Pourquoi, demanda doucement Guillaume, voulez-vous taire votre nom ? Est-il si déplaisant à porter ?

– Seulement pour moi ! Continue plutôt tes récits de tournois et de belles dames...

– Quand je vous vois, je n'en ai plus envie...

Je voudrais tellement que vous guérissiez vite !

– Mais je guérirai ! Tu n'imagines pas que nous allons passer l'hiver ici ? Nous avons encore deux ou trois semaines devant nous avant que la neige ne nous cloue. Il ne m'en faut pas plus pour être de nouveau sur pied ! Je suis comme la pierre que je sculpte, il m'arrive de m'effriter mais ce n'est qu'en surface !

Une cloche sonna.

– La fin de l'office ! dit Guillaume. Il faut que je regagne la cuisine. Tous les frères vont revenir. Eux aussi aiment porter les plats et écouter les histoires des chevaliers ! Il faut se battre pour la place ! Surtout ce soir ! Il est arrivé cinq voyageurs. Des moines-soldats de l'ordre du Temple de Jérusalem. Si vous pouviez les voir ! Ils ont de si beaux manteaux tout blancs avec, au côté, une grande croix vermeille et de si beaux chevaux ! Et le frère Anselme dit qu'ils arrivent de Terre sainte !

– Si le frère Anselme le dit... Allez va ! Et distrais-toi !

...De grands manteaux blancs à croix vermeille posés sur les bancs, près de la cheminée. À croix couleur de sang. Et ce n'étaient plus des histoires de cours d'amour et de tournois, de combats singuliers avec, en bout de lance, l'écharpe de leur dame, mais des récits de mort et de douleur, de trahison et de deuil que racontait, ce soir-là, dans la salle basse de la Dômerie d'Aubrac,

Jacques de Vitry, commandeur de l'ordre des Templiers.

Des noms revenaient sans cesse, Tripoli, Jérusalem, Antioche, Edesse – Edesse surtout. Des noms beaux comme des orfrois brodés, que Guillaume, blotti dans un recoin sombre, écoutait, émerveillé.

Il avait renoncé à porter les plats car on ne pouvait alors cueillir que des bribes de la conversation et celle de ce soir, il voulait l'entendre tout entière. Aussi s'était-il caché et il écoutait, un peu perdu dans tous ces noms aux sonorités étrangères, que les chevaliers, groupés autour de la table paraissaient, eux. si bien connaître !

Il n'était question que de la chute de la ville d'Edesse survenue pourtant deux ans auparavant et de la lâcheté de celui qui la tenait en fief, Jocelyn II de Courtenay.

– Si les Turcs ont repris la ville, c'est sa faute à lui seul. Il ne sait que se vautrer comme un porc dans la goinfrerie et la luxure. Il a un vrai harem de femmes ! Tout comme les Turcs !

– Le fils de Jocelyn de Courtenay, si valeureux, si loyal, je ne peux pas le croire... fit un vieux chevalier de la Dômerie.

– Vous ne connaissez pas cette race nouvelle !

La grande bouche dure de Jacques de Vitry se courbait de mépris :

– Nos barons ont épousé des femmes levantines ou turques ou Dieu sait quoi et il en est sorti des poulains mal débourrés qui ont tous les défauts des deux races ! Je vous le répète, si Edesse est tombée, mettant en grand péril tous les autres royaumes chrétiens de Syrie, c'est la faute de Jocelyn II !

– Raymond de Poitiers n'a rien fait pour l'aider, remarqua un autre templier. Il s'est enfermé dans sa ville d'Antioche sans porter aucun secours à Edesse. Trop content de la chute de la ville. Jocelyn et lui se détestent !

– Qu'est devenue l'union des premiers barons partis en Terre sainte ! soupira le même vieux chevalier.

– Le temps embellit, fit avec un sourire sarcastique le commandeur du Temple. Puis-je vous rappeler les querelles de Bohémond d'Antioche et de Raymond de Saint-Gilles ? Et le siège de Saint-Jean-d'Acre qui coûta si cher aux nôtres à cause des discordes dans le camp des croisés ?

– Il se peut, reconnut le vieillard. Tout de même, vous ne me contesterez pas, Jacques de Vitry, la valeur d'hommes tels que le chevalier de Bals ?

– Le chevalier de Bals, c'est la légende dorée de Terre sainte ! La réalité fut sans doute moins belle !

– Moins belle ? Le vieux chevalier en suffoquait d'indignation. Hugues Bals était la bravoure et la loyauté mêmes et, quand il fut tué, par traîtrise, dans une embuscade, avec sa femme, son fils nouveau-né et toute sa suite, l'atabeg d'Alep et de Mossoul, qu'il avait pourtant souvent combattu, jura de venger sa mort !

Jacques de Vitry haussa les épaules :

– L'atabeg était un ennemi courtois ! Il en existe chez les Turcs !

Un autre chevalier âgé, qui avait écouté sans rien dire, intervint dans la querelle :

– Ne récite-t-on plus là-bas le poème contant ses exploits, la chanson d'Edesse ?

– Je n'en sais rien, dit Jacques de Vitry agacé. Écouter les chansons va bien aux femmes, pas aux guerriers !

Cette fois, il y eut un murmure général.

– La chanson d'Edesse, c'est la chanson de Roland des croisés, fit d'un ton sévère le vieux chevalier. Et les exploits d'Hugues Bals contre les Turcs valent bien ceux de Roland contre les Sarrasins !

Guillaume, noyé dans tous ces noms inconnus, reprit pied avec Roncevaux et ce chevalier de Bals, en Roland, lui parut plus familier !

Un des assistants s'était levé et commença à réciter :

Écoutez, vous autres, barons et preux,
Écoutez la plus belle chanson qui soit
Comment devant Edesse, à grand peur, à grand effroi.
Le Turc s'enfuit quand vit paraître

La bannière sur fond de pourpre à l'étoile d'argent
Du chevalier qui tant de fois les vainquit
Pour l'amitié de Dieu et du royaume franc...

Un autre reprit :

Aux fenêtres de marbre, la dame s'est parée
La nuit fut belle et claire et la lune sortit...

– Bien, bien, interrompit Jacques de Vitry de plus en plus impatienté. Ce n'est pas la chanson d'Edesse qui nous rendra la ville. Notre espoir est dans le roi de France. L'armée qu'il dirige est déjà parvenue à Constantinople. Quand la reine Aliénor et lui seront à Antioche il faudra bien que Raymond de Poitiers qui est, ne l'oubliez pas, l'oncle de la reine...

Mais Guillaume n'écoutait plus. Haletant, éperdu, il s'était glissé hors de sa cachette et avait couru jusqu'au lit de Bertrand :

– La bannière sur fond de pourpre à l'étoile d'argent ! cria-t-il. Le chevalier Bals pour qui l'on fit la chanson d'Edesse... Et sur l'anneau, cette pierre rouge et l'étoile d'argent elle aussi... Et il était marié et il avait un fils nouveau-né...

Bertrand le regardait :

– Que t'arrive-t-il ? Qu'est-ce que signifie ce

discours sans suite ? Explique-toi, je t'en prie, plus calmement !

Il s'expliqua.

– Ce chevalier de Bals, vous ne croyez pas que...

– La coïncidence est évidemment curieuse, dit lentement Bertrand qui réfléchissait.

– Vous connaissez cette chanson d'Edesse ?

– J'en ai entendu parler mais de façon très vague.

– Et de ce chevalier de Bals ?

– Lui, c'est différent. La famille de Bals est connue dans toute la Provence. Ils tiennent en fief la terre des Baux et ce sont de puissants seigneurs. C'est vrai que leurs armes sont d'étoile d'argent sur fond de gueule. Je n'y avais pas songé quand tu m'as montré ton anneau. Sans doute à cause de l'autre pierre, l'émeraude avec un croissant de lune.

Il regarda Guillaume :

– Et celle-là, il faudra bien l'expliquer aussi ? Et peut-être l'une contredit-elle l'autre ? Ne va surtout pas te mettre de folles chimères en tête sur ce chevalier de Bals !

– Le moyen de faire autrement ! s'écria Guillaume.

– Il y en a un. Dès que je serai guéri, nous reprendrons la route. Mais nous ne nous dirigerons pas vers le Languedoc comme j'avais pensé le faire. Nous irons à la source. Aux Baux-de-Provence. Et nous verrons bien ce qui arrivera !

CHAPITRE VII

BRUNE-LA-BLONDE

Ils étaient à nouveau sur les chemins. Les forêts, à présent, étaient rousses et les jonchées de feuilles mortes donnaient une clarté singulière aux sous-bois. Elles craquaient sous le pied comme, à l'aube, la terre des routes que durcissaient les premiers gels. Mais le vent du nord balayait les nuages. Vers midi, le soleil était bon et ils n'étaient plus seuls pour traverser ces nouveaux royaumes des solitudes et des peurs : le Gévaudan, les Causses...

En quittant la Dômerie d'Aubrac, ils s'étaient joints à l'escorte d'une riche dame lombarde venue voir sa fille mariée en Auvergne et nouvellement accouchée. Ces gens parlaient seulement leur dialecte et, pour Bertrand, c'était la solution parfaite : l'isolement assuré au sein du groupe ! Quant à Guillaume, étourdi par trois semaines de bavardages du frère Anselme, il retrouvait le silence avec un plaisir insoupçonné !

Les premiers temps, la région étant dépeuplée et sauvage, ils campèrent, le soir venu, auprès de feux qu'ils entretenaient pour se chauffer et éloigner les bêtes dangereuses. La dame s'enfermait dans sa litière avec sa servante. Un des Italiens apprenait à Guillaume à jouer de la vielle. Les autres, avant de dormir, faisaient des parties de dés. Bertrand semblait rêver. Il était tout à fait guéri et avait même un peu grossi...

Les jours raccourcissaient, les étapes devenaient plus brèves. Une dernière forêt, clairsemée, de chênes verts et de pins les amena enfin vers des coteaux pierreux où flambait la lumière, vers des fermes hautes, couleur d'ocre comme la terre. Des champs en terrasse, plantés de vignes que l'automne avait réduites à leurs bois alternaient avec des jachères couvertes d'argérats et de thym.

Guillaume se souvenait de la chanson des Auvergnats et de "Vitoria où fleurissait le romarin". Pour un peu il s'y serait cru. Le climat plus clément, le paysage ouvert, les vignes lui rappelaient son clos de la Sauve ; il avait envie de rire et de chanter comme si on approchait, non du cœur de l'hiver, mais des fêtes de mai ! Et il jouait sur la vielle que lui prêtait l'Italien les airs les plus vifs, les plus bondissants qu'il lui ait appris.

Un soir qu'il jouait ainsi devant la porte d'une

auberge où les autres achevaient de souper, il vit sortir d'une maison une curieuse procession d'hommes et de femmes vêtus de sombre. Celui qui les conduisait ne portait aucun ornement doré ni argenté à la façon des prêtres mais une chape de laine grise. Il ne tenait à la main ni croix ni image pieuse.

Guillaume s'était arrêté de jouer et restait là, debout, sa vielle contre lui. L'homme qui marchait en tête, arrivé à sa hauteur, l'aborda. Il avait un visage maigre, un regard fiévreux, une voix vibrante :

– Abandonne cet instrument du mal que tu serres contre toi ! Si tu veux servir le Dieu bon, tu dois te détacher de tout ce qui est charnel, terrestre. Car le monde est un champ clos où se combattent le bien et le mal. Le Dieu bon a créé le monde invisible des esprits parfaits. Le Dieu mauvais a créé le monde de la matière où réside le péché !

La procession s'était arrêtée. Une voix de femme s'éleva, passionnée :

– Rejette l'épouse, rejette l'enfant, échappe à la servitude de la matière si tu veux être sauvé !

Un homme dit :

– Tout ce qui est sous le soleil et sous la lune n'est que confusion et corruption ! Détache-toi ! Viens avec nous !

Puis tous se mirent à prier avec exaltation. Leurs voix montaient dans la nuit comme un buisson de flammes au temps des feux de la Saint-Jean et leurs mots crépitaient comme du bois qui brûle.

Guillaume les écouta un moment, impressionné, la vielle de l'Italien toujours serrée contre lui, puis il rentra dans la cour de l'auberge. Il se heurta à Bertrand.

– Je viens de croiser des gens singuliers !

Et il les lui décrivit.

– Tu aurais pu en rencontrer plus tôt, dit Bertrand. Toutes ces régions en sont pleines ! Ce sont des adeptes d'une nouvelle religion. On les nomme Albigeois, ou Cathares parfois, et certains d'entre eux se donnent le titre de Parfaits ou de Bons Hommes. Pour le pape de Rome, ce sont simplement des hérétiques !

– Des hérétiques !

Guillaume avait prononcé le mot avec effroi. Bertrand hocha la tête.

– Il est vrai que leur doctrine reprend des idées anciennes, plusieurs fois condamnées. Pourtant... fit-il d'un air rêveur, leur soif d'absolu, qui ne l'a éprouvée à un moment ou à un autre ?

Il reprit après un silence :

– Chaque fois que je sculptais une pierre, j'espérais ne plus être déçu par ce que je créais, atteindre enfin à la beauté parfaite. Je n'y suis jamais parvenu. Seul le Catalan a tenu au bout de son ciseau ce miracle !

Et après un nouveau silence, plus long :

– À une époque de ma vie, je l'ai haï d'avoir réussi là où j'échouais, d'être un maître, lui, alors que moi je resterai toujours un apprenti. Alors je suis parti chez les Maures d'Espagne. À Cordoue, à Grenade, j'ai regardé travailler leurs sculpteurs. Leur religion leur interdit toute représentation humaine mais ce qu'ils taillent dans le marbre ou gravent dans le stuc ressemble à une dentelle. Ces lignes aériennes, déroulées, enroulées, ces figures géométriques, étoiles et triangles, sont belles. J'ai essayé de les imiter et j'y suis arrivé. J'étais presque satisfait, presque heureux.

Il répéta d'une voix assourdie :

– Presque ! Car il me manquera toujours, je le sais maintenant que je les ai revues, de pouvoir rendre le frémissement de la vie, l'expression d'un visage, la joie, la douleur des statues du Catalan !

– Vous en revenez toujours à lui ! D'où le connaissez-vous ?

Bertrand parut hésiter puis dit d'une voix sourde :

– La première fois que je l'ai vu, il sculptait une tête d'ange pour une église que mon père avait fait vœu de construire. Il avait alors à peu près l'âge que j'ai maintenant. C'était un jour d'été. Son visage semblait en refléter la lumière et moi, je suis resté face à lui comme le faucon ébloui par le soleil. Il est devenu mon maître et il m'a appris la sculpture...

Bertrand se tut. Silhouette à demi effacée par

l'ombre car la nuit était tout à fait venue et la lune pas encore levée. Seules brillaient des quantités d'étoiles. Elles paraissaient plus nombreuses et plus scintillantes que dans le ciel nocturne d'Aquitaine. Le vent du nord portait des bribes de cantique :

– Les Parfaits... murmura Bertrand. S'ils pouvaient me donner la paix que procure l'oubli, j'irais avec eux !

Guillaume le tira par la manche :

– Vous devez d'abord venir avec moi ! Parce que moi, je n'aurai de paix que lorsque je saurai pourquoi l'anneau porte deux pierres dont l'une est le blason des Bals ! Et vous m'avez promis de m'aider dans ma recherche !

...Le lendemain, ils arrivèrent à Nîmes et se séparèrent des Italiens. La riche dame s'en allait vers Avignon, eux vers Arles. C'était quelques jours avant Noël. À Arles, ils descendirent dans une auberge dont l'enseigne leur parut de bon présage : les trois rois mages y étaient peints avec un luxe de détails, eux, leurs présents, leurs montures ; et le mistral qui soufflait fort les balançait en effigie à peu près comme autrefois les dromadaires qui les avaient portés de Perse à Bethléem !

Guillaume et Bertrand s'installèrent avec l'intention de passer là quelque temps pour réfléchir à la meilleure façon d'aborder le seigneur de Bals sans courir le risque de se faire jeter dehors avant d'avoir rien pu observer !

Ils avaient un peu d'argent que les chevaliers de la Dômerie d'Aubrac leur avaient donné au moment du départ pour compenser la bourse volée par le seigneur de Merle, un brigand qui leur faisait honte !

L'impatience de Guillaume grandissait à mesure qu'il touchait au but, ou qu'il le croyait ! Et, pour le calmer, Bertrand lui proposa d'aller acheter une vielle, l'Italien ayant gardé la sienne en les quittant.

Ils étaient donc à la recherche d'un luthier quand, à l'angle de deux rues, un coup de mistral plus violent emporta le chapeau de Bertrand. Il courut pour le rattraper et heurta une jeune femme qui arrivait en sens inverse – le mistral la poussait, gonflant sa jupe rouge et verte comme une voile gaie. Bertrand la retint d'un bras ferme pour l'empêcher de tomber. Il attendait un merci murmuré, yeux baissés. Elle éclata de rire. Elle avait de petites dents blanches bien alignées et des yeux pleins de malice qui le fixaient hardiment :

– Ma tante a raison de le dire : le vent nous mène à sa guise ! Comme la vie !

Sa voix était claire, un peu acide, elle fit à Bertrand un léger salut plutôt impertinent :

– N'est-ce pas surprenant que nous soyons là, nez à nez, vous et moi, dans une rue d'Arles ?

– Je ne vois pas... commença Bertrand de la voix lointaine de celui qui cherche à retrouver un souvenir.

– Vous avez peu la mémoire des visages, pour quelqu'un qui fait métier de les sculpter, Bertrand de Montaigu !

Guillaume sursauta. Montaigu ! C'était donc là son nom ! Il revoyait, près de Lalinde, les cavaliers surgis d'une courbe du fleuve et la bannière en bout de lance, au lion hissant, à croix écartelée ! La bannière des Montaigu, avait dit Bertrand ! La sienne ! Guillaume en oublia, une seconde, le tournoi de souvenirs qui se déroulait sous ses yeux.

– Brune ! s'écria soudain Bertrand. Ce n'est pas un rêve !

Elle repoussa vivement en arrière son capuchon, découvrant un petit front blanc et têtu couronné de nattes blondes :

– Voulez-vous en tirer une pour vous persuader que vous êtes bien éveillé ? Comme autrefois dans l'atelier de mon grand-père quand vous chantiez en vous moquant de moi : "Brune-la-Blonde, le jour où tu es née, tes parents, pour ainsi te baptiser, n'ont pas dû te regarder !"

Guillaume entendit alors le rire de Bertrand. Et ce n'était plus ce mince filet moqueur qui faisait penser à une eau vinaigrée mais un vrai rire plein de chaleur et de gaieté qui gagnait les yeux, la bouche, transformait les rides du visage en de petits plis amusés. On ne savait plus du tout quel âge lui donner !

– Mais comment es-tu à Arles ?

– Eh ! Vous-même, vous y êtes bien !

Elle lui fit une révérence comme à son danseur quand va débuter le branle. Un coup de mistral lui rabattit son capuchon jusqu'aux yeux et elle cria :

– Voilà un signe du ciel ! Il faut que je m'en aille ! Ma tante va s'impatienter ! Adieu Bertrand de Montaigu ! Espérons que nous ne resterons pas sept autres années sans nous revoir !

Elle était si légère qu'elle sembla flotter un instant au-dessus des dalles luisantes d'eaux grasses qui se déversaient dans le caniveau creusé au milieu de la rue. Sa jupe rouge et verte dansait.

– Où puis-je te revoir ? cria Bertrand.

Elle se retourna :

– À l'imagier de saint Trophime, rue Basse. Quand vous voudrez.

Lorsqu'elle eut disparu à l'angle des maisons, le mistral leur sembla froid, la rue sombre. Bertrand tendit brusquement sa bourse à Guillaume :

– Va acheter la vielle tout seul ! Moi je rentre.

Il avait sa voix des mauvais jours, cassante, et son visage était redevenu tourmenté, ses yeux tristes. Guillaume prit la bourse sans oser insister et se mit à la recherche du luthier.

Il finit par en trouver un, acheta une vielle qui n'était pas neuve mais dont le son lui parut plaisant, paya, sortit, vit alors qu'il était rue Basse et, sans trop réfléchir, chercha la boutique de l'imagier dont venait de parler Brune.

Il ne mit pas grand temps à la découvrir. Son enseigne claquait au vent. Il battit un moment la semelle, sautant d'un pied sur l'autre en se demandant s'il devait entrer ou non, sans Bertrand ! Et comment prendrait-il la chose ?

Ma foi, tant pis... Il avait froid. Il entra.

CHAPITRE VIII

LE PASSÉ DE BERTRAND

Au bruit que fit Guillaume en entrant dans la boutique de l'imagier, Brune s'avança et, le dévisageant, fronça son petit nez :

– Mais... mais je vous reconnais ! Vous étiez tout à l'heure dans la rue Tisserande avec Bertrand de Montaigu !

Guillaume sourit et esquissa un salut.

– Pourquoi n'est-il pas venu, lui aussi ?

– Il a préféré rester seul. C'est un homme secret !

Elle hocha la tête :

– Je le connais peu. Je n'avais que dix ans lorsqu'il a quitté Montaigu. Mais vous, depuis quand le connaissez-vous ?

– Depuis quatre mois à peine.

Il raconta brièvement leur rencontre en passant sous silence la plupart des points qui le concernaient, lui ! Elle regarda un instant la cicatrice, sur sa joue, à nouveau fronça le nez mais ne posa pas de question.

– Bertrand a paru surpris de vous voir ici, remarqua Guillaume. L'atelier d'imagier de votre grand-père n'était pas à Arles ?

– Non plus que son château de Montaigu ! Mais tous deux loin d'ici, sur le Lot près du bourg neuf de Villefranche. La raison de notre venue à Arles est simple !

Elle retrouva son air malicieux :

– Mon grand-père avait une fille, ma tante... il avait aussi un apprenti... vous devinez ce qui s'en suivit ! Ils s'aimèrent et se marièrent. Lui était d'Arles. Ils s'en vinrent donc vivre ici où mon oncle tint à son tour atelier d'imagier. Ma tante m'emmena avec elle car j'avais perdu mes parents tout enfant, et c'était elle qui m'élevait. Voilà l'histoire !

Et, comme Guillaume regardait en direction de l'atelier d'enluminure qui faisait suite à la boutique, elle ajouta :

– Mon oncle n'est pas là aujourd'hui, il est allé chercher de nouveaux parchemins chez un marchand très réputé, à Saint-Rémy-de-Provence, tout près des Baux ! Et il a trois apprentis qui en profitent pour flâner un peu au soleil dans la cour tant que ma tante est au marché ! Dès qu'elle passera le seuil, vous allez les voir, une volée de moineaux vers leurs pupitres et leurs pinceaux. Ils sont comme des enfants !

Elle plissait la bouche d'un air dédaigneux comme si elle-même avait eu un âge très différent du leur ! Guillaume se mit à rire. Au même moment les "moineaux" annoncés surgirent en même temps qu'une petite femme toute menue, au même visage rieur que Brune, entrait dans la boutique. Elle cria en direction des apprentis :

– Fainéants ! Vous croyez que je ne vous ai pas vus dans la cour, au soleil comme des lézards ? Attendez un peu que maître Pierre rentre !

Elle se dirigea vers Guillaume qu'elle prenait pour un client mais Brune la détrompa :

– Devinez avec qui se trouvait tout à l'heure le garçon qui est là ? Bertrand de Montaigu lui-même ! Est-ce croyable ?

– Sainte Vierge ! Bertrand de Montaigu ! Et que fait-il à Arles ?

Guillaume ne savait trop que répondre ! Il se risqua à dire :

– Lui et moi avons affaire aux Baux-de-Provence. Savez-vous s'il est aisé de voir le seigneur de Bals ?

La tante eut un petit rire :

– Pour le voir, il faudrait que les ailes vous poussent au dos comme à un ange ! Ne savez-vous pas que notre vieux seigneur Hugues est parti pour la Terre sainte ?

– Avec la croisade du roi ?

– Seul. Il a voulu revoir l'endroit où est mort son fils aîné, Hugues, qu'on appelait le jeune pour le distinguer de lui ! Celui pour qui on composa la chanson d'Edesse, vous savez bien ? On dit que, de cette mort, il ne s'est jamais consolé !

– N'avait-il pas d'autres fils ?

– Quatre ou cinq. Tous morts, en bas âge. Sauf un, Raymond. Celui-là a eu plus de chance que son frère aîné. Il est rentré de Terre sainte ! C'est lui qui tient la seigneurie des Baux pendant l'absence de son père. Est-ce au vieux seigneur Hugues ou à son fils que vous avez affaire, Bertrand de Montaigu et vous ?

Guillaume était déconcerté. Il n'avait pas prévu cette difficulté : deux seigneurs de Bals dont un parti à Jérusalem !

– Je ne sais pas trop. En principe au vieux seigneur mais peut-être que le jeune...

– Le jeune ! s'exclama Brune jusque-là silencieuse. Il a au moins quarante ans !

– N'est-ce pas environ l'âge de Bertrand ? demanda malicieusement Guillaume.

– Pas du tout, protesta-t-elle, lui n'a que...

– Trente ans, coupa la tante d'un ton sec. Mais sans doute qu'il en paraît davantage ! Après ce qu'il a vécu, quoi d'étonnant ! Quelle misère ! Sculpteur ! Un Montaigu !

– Et quel mal y a-t-il ? fit Brune en rougissant si violemment que Guillaume eut envie de sourire. Mieux vaut être sculpteur de pierre que chevalier comme l'était Gaucem de Montaigu, son père ! Celui-là, s'il ne bout pas dans les chaudrons du diable au jour du jugement...

Elle avait l'air, songea Guillaume, d'un petit coq en colère qui hérisse ses plumes !

– Garde-toi de juger, dit la tante. Que le seigneur de Montaigu ait tué sa femme à force de mauvais traitements, c'est certain, mais était-elle aussi innocente que Bertrand le croyait ? Je n'en jurerai pas ! Ce Catalan était beau, encore jeune, Gaucem déjà bien décrépit et la dame de Montaigu si jeunette, presque une enfant ! On n'a pas grande raison à cet âge !

– Comment, fit Guillaume qui ne comprenait plus, la dame de Montaigu n'était pas la mère de Bertrand ?

– Pas celle-là ! Sa mère à lui était morte depuis longtemps. Elle avait été la première épouse de Gaucem de Montaigu. Dame Alix était sa troisième femme ! C'est elle dont je vous parle et qui fut accusée d'adultère avec ce sculpteur de pierre qu'on appelait le Catalan. Et, si Bertrand n'avait pas réussi à le faire échapper à la colère de Gaucem, en l'aidant à fuir, voilà sept années qu'il serait mort lui aussi ! Et quand Bertrand a quitté Montaigu, après une terrible dispute avec son père, on a raconté...

Elle haussa les épaules :

– À quoi bon répéter toutes ces vilenies ! Que ce soit Bertrand qui ait été amoureux de la jolie dame de Montaigu et que le Catalan n'ait servi que de trompe-l'œil, ou l'inverse, quelle importance ? Sept ans ont passé et qui y songe encore ?

– Bertrand, dit Guillaume. Il ne peut oublier.

Il y eut un silence. Brune avait baissé les yeux et tournait entre ses doigts le bord de sa basque rouge.

– Pour en revenir aux seigneurs des Baux, dit la tante qui était une femme pratique, si vous voulez voir Raymond Bals en personne, ce sera malaisé avant le jour des Rois !

– Et pourquoi donc ?

– On voit bien que vous n'êtes pas du pays ! Le jour des Rois, les seigneurs des Baux donnent de grandes fêtes et ça, depuis des temps et des temps... Ils disent qu'un des trois rois mages était leur ancêtre mais oui, vous pouvez sourire, le roi Balthazar ! Et l'étoile qu'ils portent au centre de leur écu c'est en son honneur !

– Je ne le savais pas. Mais en quoi cette fête qui n'aura lieu que dans deux semaines nous empêcherait-elle de voir Raymond Bals ?

– Parce que les préparatifs lui prennent tout son temps et qu'il ne le gaspillera pas, un seigneur de son importance, avec vous, sans vouloir, mon pauvre, vous blesser !

– Vous oubliez, protesta Brune, que Bertrand de Montaigu est de famille au moins aussi noble et aussi ancienne et que...

– Je n'oublie rien, coupa la tante. Il l'était mais

il s'est enfui ; son père l'a dépossédé de tout au profit d'un autre et lui-même, à ce que j'ai entendu raconter, cache son nom plus qu'il ne le publie !

Elle secoua la tête :

– Non ! Le seigneur de Bals ne vous recevra pas avant que s'achèvent les fêtes dans son château ! Si vous étiez ménestrel ou jongleur, alors, oui... mais deux sculpteurs de pierre... Car je suppose que vous faites le même métier que Bertrand de Montaigu ? Vous êtes son apprenti sans doute ?

Guillaume sourit :

– En quelque sorte, oui !

Et après avoir salué la tante et la nièce, il sortit de la boutique. Tout en luttant contre le mistral retrouvé, il réfléchissait. Jongleurs... c'était difficile ! Mais chanteur, pourquoi non ? Il s'accompagnerait sur la vielle et Bertrand... peut-être que Bertrand pourrait l'accompagner en fredonnant, bouche fermée ?

*

* *

Il était si excité qu'il en avait oublié les propos de la tante de Brune sur le passé de Bertrand, le vieux Gaucem, le Catalan et la jolie dame Alix. Mais ils lui revinrent d'un coup, lorsqu'il retrouva son ami, dans un coin de la salle de l'auberge, appuyé à une table, la tête entre ses mains. Il leva vers Guillaume un regard morne, et ce dernier, embarrassé, ne savait plus trop bien comment expliquer le mouvement spontané qui l'avait porté dans la boutique de l'imagier. Moins encore parler de l'idée qui lui était venue pour entrer au château des Baux ! Le visage muré de Bertrand, la grande ride triste qui tirait sa bouche se prêtaient mal à des évocations de fêtes et de chansons !

Une remarque – assez acide – de Bertrand l'aida.

– Alors, cette vielle, tu me la montres ou tu veux la garder pour toi ?

À partir de là, tout en sortant la vielle de dessous sa cape de laine, Guillaume débita toute l'histoire, en omettant de préciser quel tour plus personnel pour Bertrand avait pris à un certain moment la conversation ! En fut-il dupe ? Sans doute que non ! Car il demanda sur un ton trop négligent pour n'être pas forcé :

– Ni l'une ni l'autre ne t'ont parlé de moi ?

Guillaume hésita et puis, ma foi, tant pis, opta pour la franchise. Et il répéta les propos de la tante, mot pour mot.

Il y eut un moment de silence – relatif car, dans l'autre coin de la salle, deux hommes se disputaient, et devant le feu de la cheminée où tournait sur la broche un cuissot de chevreuil, le cuisinier giflait un marmiton chargé d'en surveiller la cuisson.

– Et toi, que crois-tu ? demanda Bertrand. Que c'était moi qui l'aimais ou le Catalan ?

– Comment le saurais-je ? Peut-être l'aimiez-vous tous les deux, si elle était si jeune et si belle ! Mais peut-être le Catalan l'aimait-il pour la statue qu'il en ferait et vous...

Il hésitait.

– Continue ! ordonna Bertrand.

– Vous, dit Guillaume sans oser le regarder, pour vous venger de votre père que vous détestiez ! Vous me l'avez dit un jour !

De ce geste devenu chez lui machinal il caressait la cicatrice de sa joue, ajouta à voix plus basse :

– La haine, je la connais !

– Et à quoi mène-t-elle ? fit d'un ton las Bertrand. C'est vrai que je détestais mon père. J'étais son fils aîné et il me préférait le cadet qu'il avait eu d'une autre femme sans doute mieux aimée que ma mère, je n'en sais rien. Ce que je sais, ce sont les coups que je recevais et les sarcasmes et les insultes ; et il dressait mon frère contre moi, lui apprenait à me haïr. Mon enfance a ressemblé davantage à l'enfer qu'au paradis. Et puis, j'ai connu le Catalan, au moment où mon père a épousé sa troisième femme. Elle avait seize ans et une grande beauté. Quel homme ne l'aurait aimée ?

Il regardait au loin :

– Tu ne t'es pas trompé tout à l'heure.

Le Catalan en a fait une statue très belle qui est dans une église, au Puy. Et moi...

Il haussa les épaules.

– Moi... peu importe. Elle est morte et c'est du passé !

Près de la broche, sa cuillère en bois à la main, le petit marmiton pleurait en frottant sa joue de son autre main. Les disputeurs en étaient venus aux mains et l'aubergiste s'efforçait de les séparer.

Bertrand répéta :

– La haine... À quoi sert-elle ? En fin de compte, à rien !

– Elle sert à se venger !

– Et quand tu t'es vengé, tu t'aperçois que tu t'es détruit, toi aussi !

Guillaume attendit un petit moment avant de refaire une tentative au sujet de l'idée qui lui était venue.

– Pensez-vous que la trouvaille soit bonne et qu'on nous prendra pour de vrais ménestrels ?

Bertrand parut sortir d'un songe, regarda Guillaume comme s'il était étonné de le voir là.

– Je n'ai pas bien écouté ta question.

Guillaume, patiemment, la posa de nouveau.

– Pourquoi non ? Je t'ai entendu chanter avec les pèlerins. Ta voix est agréable et juste et si tu grattes ta vielle plutôt médiocrement, à la fin de ces festins, peu de convives ont l'oreille assez claire pour en juger ! Quant à moi – il fit la grimace –

je pourrais tout juste imiter le bruit du faux-bourdon !

Son visage s'était détendu. Guillaume se risqua à demander :

– La prochaine fois que j'irai chez l'imagier, ne viendrez-vous pas avec moi ?

– Peut-être. Je verrai.

...Il finit par venir, le soir de Noël, comme Brune et sa tante rentraient de vêpres. Maître Pierre, l'imagier, était en train de montrer à Guillaume quelques pages du livre qu'il enluminait. Les apprentis jouaient dans la cour à des jeux de boule. Et d'abord, l'arrivée de Bertrand créa une gêne. Personne n'était plus naturel, l'imagier guindé, la tante raide, les apprentis le nez au carreau. Seule, Brune-la-Blonde resta elle-même. Bertrand lui dédia son premier vrai sourire depuis des jours, comme elle avait fait naître son premier vrai rire.

*

* *

Pendant la semaine qui suivit, il revint souvent, avec ou sans Guillaume, et il se montrait bien différent du compagnon taciturne des débuts, expert à décocher des flèches amères. Il lui venait même parfois, au fond de l'œil, de petites lueurs gaies et il racontait volontiers ses voyages chez les Maures d'Espagne, assis au fond de l'atelier, près de Brune. Les apprentis étaient bouche bée de tout ce qu'ils entendaient ! Il se remettait même à dessiner des esquisses de frises de tympan et Guillaume pensait avec amusement que, pour vous changer un homme à ce point, il fallait que Brune-la-Blonde soit une sorcière au moins aussi habile que la petite Isaut de Merle en bliaud vert !

CHAPITRE IX

LA FÊTE DES ROIS

Le matin de la fête des Rois, par une fantaisie de la nature, tout le paysage, autour du château des Baux, avait pris l'aspect enchanteur du jardin de la fée Morgane : il avait suffi d'un brusque coup de gel, à l'aube, sur la pluie de la nuit pour que chaque branche, chaque herbe, chaque buisson s'enrobât de glace qui étincelait au soleil comme du cristal.

Car il faisait un très beau temps d'hiver et, sous le ciel bleu vif des matins de mistral, le château se découpait, en haut des rochers, au-dessus des oliveraies et des vignes de la plaine, avec ses hauts murs blancs taillés dans le calcaire et la tour neuve de son donjon. Le rouge des bannières semblait plus éclatant, plus brillante l'étoile d'argent du Roi mage Balthazar.

Guillaume ne pouvait en détacher ses yeux et

le cœur lui battait d'impatience tandis qu'il franchissait, à côté de Bertrand, la porte en arc, surmontée de l'écu des Bals. L'espoir de résoudre bientôt l'énigme de sa naissance lui donnait un air rayonnant.

Sa tête brune se redressait dans un mouvement de fierté un peu hautaine, ses yeux noirs brillaient. Il avait l'air d'un fils de roi et, bien qu'il allât à pied et qu'il fût pauvrement vêtu, beaucoup s'écartaient pour le laisser passer, s'interrogeant parfois du regard : qui pouvait être ce musicien étranger qui allait d'un pas hardi, sa vielle au dos ?

Le vent glacé ourlait de rouge le fil mince en forme de croix que traçait sur sa joue la cicatrice du coup de fouet. Elle aussi aidait à le faire remarquer ! Un peu trop, au gré de Bertrand ! Pour le rôle qu'ils allaient jouer : celui de ménestrels arrivant d'Aquitaine, mieux valait qu'on ne leur posât pas d'entrée trop de questions ! Aussi respira-t-il mieux en voyant l'encombrement qui régnait dans la cour du château, une fois passée l'enceinte !

Les écuyers de Bals, les chevaliers, les pages tourbillonnaient comme de grands frelons brillants parmi les chevaux de selle, les mulets chargés de coffres de voyage, les chariots, les litières tendues de toile rouge ou jaune d'où descendaient dans des odeurs de musc et de coriandre des dames enveloppées d'étoffes lourdes bordées de loutre. Des domestiques couraient en tous sens, des chiens jappaient. L'air sentait le feu de bois, la viande rôtie, les épices, l'olive et le miel chaud. Les gens des villages se tenaient dans les coins, pressés les uns contre les autres, curieux de tout voir mais redoutant également les bâtons des valets et les crocs des chiens !

Une bousculade, comme arrivait l'évêque d'Arles avec toute sa suite, jeta Guillaume et Bertrand à l'intérieur du château juste au moment où la procession des Rois sortait de la chapelle.

Devant, marchaient de petits enfants tenant à la main une branche verte piquée au bout d'une étoile d'or, puis des jeunes filles portant des coffrets ouverts où luisaient des pièces d'argent et des perles de bois peintes en doré. Venait ensuite le chapelain du château en grande étole sur chape de velours, balançant à hauteur de visage un brûle-parfum en cuivre, travaillé d'incrustations comme en Orient, et d'où sortaient des vapeurs d'encens.

Enfin, les trois Rois dans leur cape à traîne ourlée de renard roux que tenaient les pages de la dame de Bals, Mahaut. Leur longue barbe était soigneusement peignée et ils portaient sur la tête des couronnes dorées. Balthazar marchait le premier, comme il se devait pour l'ancêtre supposé de la lignée ! Sa robe était plus riche que celle des deux autres, en brocard à dessins de fleurs, et il avait un long collier ciselé, à pendeloques de cristal de roche.

Sur leur passage, les gens s'extasiaient, s'exclamaient, criaient de plaisir, se poussant pour mieux voir, et ceux qui les connaissaient disaient tout haut leurs noms.

Guillaume, lui aussi, regardait le cortège qui passait à présent à le frôler et il pensait à un autre jour des Rois et à Arnaud de Craon et à ce creux de pierre du mur de l'abbaye de la Sauve où quelqu'un l'avait déposé, tout enfant. Qui ? Pourquoi ? Et il était si absorbé par ses pensées qu'il ne remarqua pas le curieux regard que lui jeta, en passant devant lui, le plus âgé des trois Rois – celui dont la barbe était toute blanche et que les gens appelaient Amaury l'écuyer. Mais Bertrand le vit et en fut soucieux.

Soudain le cortège s'immobilisa : sur le degré de pierre menant à la salle haute où allaient se dérouler le repas et la fête, un homme venait de paraître. Un bel homme grand, large d'épaules, avec un cou épais que dégageait le décolleté en carré de sa robe rouge sombre bordée d'un large galon brodé d'or sur fond violet. Sa barbe était courte et brune, ses cheveux noirs, son visage encore jeune. Son regard acéré rappelait celui d'un épervier. En signe d'accueil, il leva la main, et la bague d'or émaillé qu'il portait à l'index droit brilla : une étoile d'argent s'y détachait sur fond rouge. Raymond Bals, seigneur des Baux-de-Provence et tenant du fief en l'absence de son père Hugues parti en Terre sainte, venait de faire son entrée : la fête pouvait commencer !

Elle devait durer tout le jour – et le repas aussi ! car Raymond voulait montrer qu'il était aussi généreux que son père et qu'il connaissait les usages et les bonnes façons autant que lui !

Dans la salle haute, ornée de tapisseries de laine jaune et bleue à dessins de raies et d'oiseaux, le sol était jonché de feuilles vertes de laurier et de branches de romarin. La plus grande des tables, couverte d'une nappe blanche et de vaisselle en bois d'olivier était destinée aux hôtes que Raymond Bals voulait spécialement honorer. C'était sa femme, Mahaut, la dame de Bals, qui la présidait, et les bancs, tout autour, étaient recouverts de coussins.

Les plats commencèrent à se succéder, entrecoupés de pauses pendant lesquelles les valets faisaient circuler des vins doux, des figues sèches, des amandes épicées et, à ces moments-là, les jongleurs allaient de table en table faire leurs tours et les ménestrels jouaient des airs de danse et chantaient.

Puis ils revenaient s'asseoir au bas de la table la plus inférieure, loin de la cheminée et le dos aux fenêtres, et ils mangeaient les restes des viandes servies aux autres tables. Il arrivait parfois qu'après un tour mieux réussi, un air plus nouveau ou qui avait plu, un seigneur les appelle près de lui et leur donne à goûter de sa propre assiette ou encore leur fasse porter du mets qu'il était en train de manger.

*
* *

Guillaume et Bertrand étaient au milieu d'eux. Il leur avait suffi de dire qu'ils venaient d'Aquitaine pour qu'on leur fasse place. Car ce pays jouissait d'un grand renom depuis que l'ancien duc Guillaume s'était baptisé lui-même "le troubadour".

Ils regardaient, écoutaient et n'avaient encore ni joué ni chanté. À mesure que les heures s'écoulaient – et il y en avait déjà bien trois que le festin avait commencé –, que les aiguières de vin se vidaient, le ton montait, les teints se coloraient, les propos s'échauffaient. Même les jongleurs et les musiciens perdaient de cette réserve qu'impose le souci d'être payé et hébergé jusqu'à la fin! L'un d'eux, surtout, sorte de grande sauterelle tout en bras, en jambes et en nez, qui n'avait pas son égal pour se contorsionner et se disloquer ! Après un double saut qui lui avait valu de manger une caille dans l'assiette même de l'évêque d'Arles, plus quelques bonnes rasades du vin des pichets, il s'était mis à se moquer de Raymond Bals, sans tellement baisser la voix !

– Voyez-moi, si notre nouveau seigneur, à force de s'enfler le cou d'orgueil, ne va pas se rompre une veine ! Enfin assis dans le haut fauteuil de son père ! Depuis le temps qu'il l'espérait !

Son compagnon, un jongleur placé près de lui, répliqua prudemment :

– Eh, que veux-tu, il n'est pas aisé pour un homme d'avoir un père jeune ! Le vieux seigneur n'avait que vingt ans quand ce fils-là lui est né ! Fais le compte de ce qu'il a dû attendre !

– Et il n'aurait rien eu à attendre du tout si l'aîné n'était pas mort là-bas ! La Terre sainte lui aura, par deux fois, porté chance ! Car, pas plus que son aîné, le vieux seigneur ne reviendra, cette fois, de Terre sainte ! Il l'a dit en partant et qu'il prendrait l'habit des chevaliers de l'hôpital, là-bas, à Jérusalem !

Guillaume et Bertrand avaient dressé l'oreille.

L'acrobate but un grand coup de vin.

– Ne bois pas tant ! murmura le jongleur. Tu sais qu'après...

– Quoi, après ? Ce que j'ai à dire, je le dis. Ni plus, ni moins ! Tous, ici, savent bien que Raymond Bals était à Edesse, lui aussi, quand son frère Hugues a été tué ! Par traîtrise, notez-le bien, bonnes gens, par traîtrise ! Et là, s'enroule le serpent...

Un des écuyers de Bals qui servait à la table haute s'était arrêté près des baladins et écoutait. Bertrand le remarqua et entreprit, à son tour, de faire taire l'acrobate par une diversion :

– L'ami, vous qui connaissez votre monde,

dites-moi donc si le seigneur Raymond a des fils ?

– Non certes ! Mais quatre filles, oui ! Et autant de gendres ! Il en est assez furieux ! L'autre avait un fils, un poupard encore au maïeul, tué aussi dans l'embuscade. Car il y eut embuscade et piège sur la route d'Edesse, bonnes gens, notez-le bien !

Il revenait avec une persistance d'ivrogne à son sujet préféré :

– C'était voilà dix-huit années ! Et le seigneur Raymond n'aime pas qu'on en parle, ni de son frère mort ; il dit qu'il en éprouve une trop grande douleur ! Une trop grande douleur ! Judas l'Iscariote!

– Tais-toi, fit tout bas le jongleur, ou tu finiras comme d'autres !

– Ce que je sais, je le sais, s'entêta l'ivrogne. Et un autre que moi connaît ces choses. Amaury l'écuyer, oui, seigneur de la courte bourse, Amaury en personne ! Celui-là, s'il voulait parler il en dirait !

Guillaume l'interrompit :

– Et pourquoi ne parle-t-il pas ?

L'autre éclata d'un gros rire hoquetant :

– Ça, mon beau garçon, va lui demander !

Il désigna de son grand bras le roi mage à barbe blanche qui présidait une des dernières tables, juste avant celle des musiciens. Guillaume s'était retourné pour le regarder. Amaury leva les yeux et leurs regards se croisèrent. Il y avait une insistance dans celui du vieil écuyer, comme une demande. Ou une interrogation adressée à lui-même. Il se pencha vers son voisin, lui parla à voix basse. Ce dernier se mit à son tour à regarder Guillaume puis il se tourna vers Amaury avec une petite moue et un hochement de tête sceptique.

À ce moment, la dame de Bals se leva et, emmenant ses filles et les dames et demoiselles de l'assistance, les convia à venir se reposer dans la chambre haute en attendant les danses et la veillée. L'écuyer était reparti. L'acrobate gesticulait et le jongleur l'entraînait dehors.

*
* *

Raymond Bals qui surveillait son monde, assis sur une chaise à dossier sculpté, ses chiens couchés à ses pieds, fit signe à l'un de ses serviteurs. L'homme vint vers la table des musiciens et s'adressant à Bertrand :

– Le seigneur de Bals aimerait t'entendre, toi et ton compagnon.

Bertrand s'inclina et, suivi de Guillaume, s'approcha. Tous deux saluèrent le maître de maison. Puis Guillaume, s'accompagnant de sa vielle, commença à chanter. Bertrand se bornait à fredonner l'air, bouche fermée, ce qui lui laissait tout loisir d'observer le seigneur de Bals. Or ce dernier regardait Guillaume d'un air étrange, son œil d'épervier le fixait avec une sorte d'étonnement, son visage exprimait l'incrédulité et, l'espace d'une seconde, la peur s'y refléta. Puis il redevint impassible, interrompit Guillaume pour s'adresser à Bertrand :

– Ne sais-tu faire autre chose que ce bruit de faux-bourdon ? Est-ce là toute la science d'un troubadour d'Aquitaine ?

Guillaume avait levé ses yeux noirs sur Raymond Bals et le regardait, à son tour, fixement. Bertrand nota l'expression de malaise du seigneur des Baux et la rapidité avec laquelle il détourna son regard. Il décida de jouer en conséquence un rôle qu'il n'avait pas prévu pour si tôt :

– S'il est vrai, dit-il en s'inclinant, que je ne sais pas chanter, en revanche, j'ai appris à dire des vers et à réciter des poèmes. S'il vous plaît d'en entendre...

– Il me plaît ! Commence !

Bertrand se tourna en partie vers les convives de façon à apercevoir le vieil écuyer Amaury déguisé en Roi mage et il commença à réciter le poème de la chanson d'Edesse qu'à la Dômerie d'Aubrac, pendant sa maladie, un chevalier lui avait apprise :

> *Écoutez, vous autres, barons et preux,*
> *Écoutez la plus belle chanson qui soit*
> *Comment, devant Edesse, à grande peur, à grand effroi,*

Le Turc s'enfuit quand vit paraître
La bannière sur fond de pourpre à l'étoile d'argent
Du chevalier qui tant de fois les vainquit
Pour l'amitié de Dieu et du royaume franc...
Aux fenêtres de marbre, la dame s'est parée...

Dans la salle haute, un silence s'était abattu soudain comme on dit que s'abat la foudre. Le vieil Amaury s'était à demi dressé et regardait Guillaume. Les écuyers s'étaient arrêtés de verser à boire et les chevaliers de manger. Tous semblaient attendre un signe de Raymond Bals. Ce dernier demeurait impassible, du moins de visage, car il tournait nerveusement autour de son index la bague aux armes des Bals. Il laissa Bertrand achever la strophe puis demanda négligemment :

– Sais-tu qui était ce chevalier pour qui fut composé ce poème ?

Bertrand ne se troubla pas :

– Il suffit de lever les yeux : la bannière pourpre à l'étoile d'argent ne flotte-t-elle pas sur ce château ? J'ai pensé vous honorer, seigneur de Bals, en rappelant les hauts faits et la grande bravoure de celui pour qui fut composée cette chanson, votre frère Hugues qui mourut près d'Edesse voici dix-huit ans !

Le visage de Raymond Bals s'était assombri :

– Si tu étais d'ici, tu saurais que je n'aime pas me souvenir de cette ville ni de la mort d'un frère qui était pour moi ce qu'est la corde à l'arc, le pommeau à la lame ! Aussi précieux, aussi indispensable !

Et s'adressant à Guillaume :

– Comment te nommes-tu ?

– Guillaume, seigneur. Je n'ai pas d'autre nom car j'ai été abandonné près d'une abbaye d'Aquitaine, voici dix-huit ans.

– Et on n'a jamais su par qui tu avais été abandonné ?

– Jamais.

– Tu ne portais sur toi aucun signe qui puisse révéler ta naissance ?

Raymond Bals parlait comme si une force étrangère à lui le poussait. Son insistance même était étrange et le vieil écuyer Amaury, à présent, ne regardait plus que lui.

Guillaume hocha la tête :

– Les langes qui m'enveloppaient étaient de toile fine et ornés d'un galon brodé, à ce qu'on m'a raconté.

– Comment es-tu devenu troubadour ?

– Comme l'oiseau chante !

– Un oiseau qui chante bien loin de son nid !

Guillaume fixa sur Raymond Bals ses yeux noirs qui ne cillaient pas :

– Qui peut dire où est mon nid ? Le véritable ?

Raymond Bals eut un sourire tendu :

– Crois-tu, par hasard, qu'il serait ici ?

– Je ne crois rien, sinon que je suis mon destin qui est inscrit dans les étoiles.

Cette fois, le seigneur de Bals tressaillit, congédia Bertrand et Guillaume d'un signe de main irrité et cria aux musiciens :

– Jouez, vous autres ! Et jouez des airs gais !

Puis il quitta son siège et sortit de la salle après avoir appelé d'un geste l'écuyer Amaury qui le rejoignit dehors.

CHAPITRE X

L'ADIEU À BERTRAND

Guillaume et Bertrand n'avaient pas regagné leur place à la table des musiciens mais s'étaient éclipsés par une porte qui ouvrait sur un escalier descendant aux cuisines. De là, ils passèrent dans une petite cour intérieure déjà sombre car la nuit venait. Une galerie à arcades surplombait un des côtés. Les murs arrêtaient le mistral, et, Bertrand et Guillaume s'enveloppant de leurs capes, se tassèrent sur eux-mêmes, dans un angle, juste en dessous, pour discuter de la conduite à tenir ! L'attitude de Raymond Bals, ajoutée aux propos de l'acrobate, demandait réflexion !

Avant qu'ils aient ouvert la bouche, un bruit de voix venant de la galerie à arcades, juste au-dessus de leurs têtes, les fit se rencogner davantage. D'autant que c'était Raymond Bals qui parlait.

– Ne prétends pas le contraire, Amaury, cela t'a frappé, toi aussi. Ses yeux surtout... Cette façon qu'il avait de vous regarder sans ciller, tu te rappelles ?

La voix du vieil écuyer s'éleva, bourrue :

– Comment l'oublier ? Je le connaissais mieux que votre père lui-même ! C'est moi qui lui avais mis entre les mains sa première épée, c'est moi qui l'avais fait monter son premier cheval !

– Ce n'est pas ça qui m'intéresse, coupa avec impatience Raymond Bals, mais la ressemblance de ce garçon ! Qu'en penses-tu, toi ?

– Elle m'a troublé comme vous, au début. Mais je l'ai bien observé pendant tout le repas. Les yeux peut-être, je ne dis pas, et encore, parce qu'ils sont noirs! Et Geoffrey de Gignac, qui était assis à mon côté, l'a observé lui aussi, sur ma demande, et il pense comme moi. Un certain air, oui... À quoi songez-vous donc ?

– Tu le sais bien... Si, par miracle, son fils avait échappé à l'embuscade et...

– Réfléchissez ! grogna Amaury. Comment voulez-vous qu'un enfant âgé d'un mois à peine survive alors que ses parents et tous les serviteurs sont morts dans l'embuscade ?

– On l'a dit ! Mais plusieurs jours s'étaient écoulés avant qu'on ne les retrouve et qu'est-ce qu'il en restait ? Des ossements, des cheveux, des bijoux...

Il y eut un silence.

– Que vouliez-vous qu'il reste d'autre, avec les vautours ? demanda d'un ton rude Amaury. On croirait que vous n'y avez jamais songé jusqu'à ce jour ! N'êtes-vous pas seigneur des Baux ? N'avez-vous pas ce que vous souhaitiez ? Grâce au mort qui gît depuis dix-huit ans sous la dalle de marbre d'une église d'Edesse.

– Aurais-je dû mourir, moi aussi, parce que lui avait cessé de vivre ?

– Non certes ! Et vous ne risquiez pas !

Il y eut un autre silence tout aussi lourd que le précédent.

– Pour en revenir à ce garçon, fit d'un ton brusque Raymond, que me conseilles-tu ?

– Chassez-le, si sa présence vous trouble et revenez à la fête sinon vos invités vont s'étonner. Vous n'êtes déjà pas si aimé !

– Ai-je besoin qu'ils m'aiment ? fit avec mépris Raymond Bals. La puissance me suffit !

– Tant mieux pour vous !

À nouveau, les pas sonnèrent sur les dalles et décrurent. Ils étaient retournés au festin. Guillaume et Bertrand reprirent leur souffle car, pendant tout ce temps, à peine s'ils avaient osé respirer ! Et maintenant que faire ? Quitter le château ? N'avaient-ils pas appris l'essentiel ? Le chevalier de Bals avait bien eu un fils, âgé d'un mois au moment de l'embuscade et la ressemblance entre Guillaume et lui avait frappé deux hommes qui l'avaient bien connu, son écuyer et son frère.

L'anneau n'était-il pas le signe destiné à faire reconnaître l'origine de l'enfant abandonné ?

– Oui, disait Bertrand, arrivé à ce point de la discussion. Mais sur l'anneau, il y a une autre pierre, la verte. Pourquoi ? Et comment un enfant de quelques mois à peine aurait-il été transporté de la lointaine Syrie à la porte d'une abbaye d'Aquitaine ? Par qui ?

De son côté, Guillaume poursuivait sa songerie :

– Quelle femme avait-il épousée ? "La dame aux fenêtres de marbre" dont parle la chanson d'Edesse ? Qui était-ce ?

– Ce dialogue entre Raymond Bals et Amaury rendait un son étrange, dit Bertrand. Comme s'il existait un secret, un très lourd secret...

– Rappelez-vous, fit avec peine Guillaume, les paroles de l'acrobate : il accusait Raymond de traîtrise, l'appelait Judas ! Quelle traîtrise ? Si nous l'interrogions ? Peut-être, nous apprendrait-il des choses importantes ?

– Peut-être...

Ils se mirent donc à la recherche de l'acrobate. Mais ils eurent beau fureter un peu partout, ils ne le virent nulle part. Sans doute ronflait-il par là, dans un pailler ou derrière un tas de bois ? Ils ne s'en émurent pas outre mesure. En revanche, le compère de l'acrobate, le jongleur, semblait inquiet, et continua à chercher.

La salle haute s'était à nouveau remplie. La

dame de Bals, ses filles et les autres dames et demoiselles invitées avaient regagné leurs places autour des tables et les musiciens jouaient un premier air de danse lorsque le jongleur reparut. Il se laissa tomber sur le banc, à côté de Guillaume. Il était livide et claquait des dents.

– Que t'arrive-t-il ? demanda à voix basse Guillaume.

Le jongleur jeta autour de lui des regards effrayés et murmura :

– Je l'ai retrouvé. Au pied du rempart. La tête fracassée. Il a dû tomber. Ivre comme il était.

Mais son visage apeuré, sa voix tremblante disaient assez qu'il ne croyait guère à un accident.

– Il parlait beaucoup, dit Bertrand. Trop.

Le jongleur hocha la tête, le regarda avec méfiance et changea de place.

Guillaume murmura : Quel homme est donc Raymond Bals qui n'hésite pas à supprimer une vie pour un bavardage ?

– Un homme prudent, dit Bertrand. Et ce qui m'inquiète, c'est que nous ayons entendu les propos de ce malheureux acrobate. Si l'écuyer qui espionnait l'a répété, joint à cette ressemblance...

...Une ressemblance qui continuait à tracasser le vieil Amaury car, de sa place à table, il ne cessait d'observer Guillaume. Et, de son côté, le seigneur des Baux observait l'écuyer !

Quand la veillée fut terminée, et les danses, chacun s'en alla dormir où il pouvait. Guillaume et Bertrand, toujours indécis, errèrent un petit moment dans la cour d'entrée. La lune s'était levée et projetait en ombres déformées leurs silhouettes. Soudain, il y eut, derrière eux, un bruit de lutte. Ils se retournèrent. Un homme gisait à terre, un autre se relevait, arrivé à leur hauteur, murmurait :

– Allez dans la chapelle ! Vite !

Et disparaissait. Était-ce Amaury ? Il leur sembla reconnaître sa silhouette. Et ils hésitaient : si c'était un piège ? La mort de l'acrobate les rendait méfiants. Ils s'approchèrent de l'homme à terre, il gisait sans vie, il avait été étranglé. Des gardes arrivaient. Alors Guillaume et Bertrand coururent à la chapelle. Des clercs de la suite de l'évêque d'Arles y dormaient déjà, étendus sur la paille qu'on avait disposée pour eux sur les dalles. De derrière l'autel, un moine leur fit signe de le rejoindre, leur tendit deux habits de bure brune. Décidés à ne plus s'étonner de rien, Guillaume et Bertrand les enfilèrent et, sur un autre signe du moine, rabattirent la capuche. Puis, tous trois sortirent de la chapelle. Le moine ouvrit une poterne dissimulée dans la muraille et ils se retrouvèrent sur un étroit chemin creusé à même le roc et dominant le vide. Le moine marchait du pas assuré de quelqu'un qui a l'habitude des lieux. Bertrand et Guillaume étaient moins à l'aise ! Tous deux avaient à l'esprit la prétendue chute du pauvre acrobate trop amateur de vin ! Et, comme pour accentuer leur crainte, ils le virent, en contrebas : l'agrafe de sa ceinture accrochait un rayon de lune et son corps gisait, disloqué, dans ce qui avait été son ultime acrobatie !

Peu après, le sentier commença à descendre. Il contournait le rocher sur lequel était bâti le château. Ils se retrouvèrent dans un petit bois d'oliviers. Là, le moine s'arrêta. On ne pouvait distinguer ses traits tant sa capuche était tirée bas. Il dit, tout d'un trait, comme un qui récite :

– Le vieux seigneur Hugues est en Syrie franque, dans la ville d'Antioche, il loge au couvent des hospitaliers de Jérusalem. Tentez de le rejoindre et montrez-vous à lui.

– Pourquoi ? demanda Guillaume haletant d'espoir.

– Je l'ignore, dit le moine. J'avais ordre de vous aider à fuir et de vous répéter ces phrases. Ma mission s'arrête là.

– Ne pouvez-vous nous révéler qui vous en a chargé ?

– C'est la fête des Rois, dit le moine. Il faut croire que Balthazar veille toujours sur son étoile ! Tout de même, si vous trouvez le vieux seigneur, dites-lui qu'il n'oublie pas dans ses prières le nom d'Amaury l'écuyer. Car c'est une âme tourmentée qui, en ce monde, ne trouvera plus jamais la paix.

Le moine s'en alla sans qu'ils aient résolu l'énigme de savoir qui venait de les sauver.

Amaury l'écuyer, sans doute. Mais dans quel but ? Poussé par quel remords ?

Ce n'était pas le moment de chercher des réponses ! Il leur fallait fuir les Baux et même, dans un premier temps, fuir Arles, pour ne pas risquer de compromettre l'imagier au cas où Raymond Bals ordonnerait des recherches.

Ils se mirent donc à marcher à l'opposé de la ville jusqu'à ce que le jour se lève. Quand l'aube pointa, ils s'installèrent dans une cabane qui semblait abandonnée. L'endroit était désert. Ils décidèrent d'y dormir.

*

* *

Lorsque Guillaume se réveilla et qu'il vit Bertrand adossé aux planches de la cabane comme dans la grange de Sainte-Foy, avec le même air pensif, le même regard grave levé sur lui, un pressentiment lui serra le cœur.

– Écoute-moi, dit-il. Sans protester, sans m'interrompre. J'ai bien réfléchi. Il faut que nous nous séparions. Raymond Bals va nous poursuivre. Notre disparition fortifiera ses soupçons au sujet de ta naissance. Or c'est un seigneur très puissant et il dispose de beaucoup de sergents d'armes. Il va chercher deux hommes. Il faut qu'il n'y en ait plus qu'un. Même nos robes de moines ne nous préserveront qu'un temps. C'est un déguisement trop facile à démasquer ! Nous allons encore marcher ensemble jusqu'au Rhône. Là je t'expliquerai mon plan.

Dans la grange de Sainte-Foy il avait eu ce même ton pour dire : "Tu as vu tes pieds ? Monte sur mon cheval !" Et Guillaume s'était incliné car il avait raison. Dans la cabane de Provence, il fit de même sans oser poser la seule question qui lui importait : "Me suivrez-vous à Antioche ?" Il savait d'avance que la réponse serait : "Non"...

Depuis qu'il avait vu Bertrand, dans l'atelier d'Arles, recommencer à dessiner aux côtés de Brune-la-Blonde, il savait qu'un jour Bertrand le quitterait pour la rejoindre. Et que ce serait heureux pour son ami. Mais il avait de la peine à s'en réjouir. Et il s'était efforcé de n'y pas songer pour conserver son courage et profiter encore un peu de la présence de Bertrand.

Ils arrivèrent au bord du Rhône vers le soir. Le fleuve était en crue et ses eaux d'un gris-vert bondissaient comme celles d'un torrent.

Bertrand s'était arrêté et dit en regardant le fleuve :

– Nos routes vont se séparer ici. Toi, tu vas te rendre à Marseille et moi en Languedoc.

– Comment en Languedoc ? Vous ne retournerez donc pas à Arles ?

Bertrand sourit, moqueusement, comme autrefois :

– Pas tout de suite ! Que croyais-tu ? Que je te quittais pour la retrouver ?

Guillaume se sentit vexé d'avoir été trop bien deviné et répliqua assez sèchement :

– Pourquoi non ? Je ne vous ai vu l'air heureux qu'auprès d'elle !

– Tu as bonne vue ! Et sans doute retournerai-je un jour à Arles mais il faut d'abord que je me remette à sculpter, que je revoie le Catalan, que je sois sûr que le passé est tout à fait mort. C'est une affaire de loyauté.

Il ajouta après un silence :

– Je reprends la route dont je me suis un temps détourné par amitié pour toi. Maintenant tu es sur la bonne voie, tu n'as plus besoin de mon aide.

– C'est vous qui le dites ! Comment me rendrai-je à Marseille et, une fois là-bas, comment trouverai-je à m'embarquer pour la Terre sainte ?

– Tu te rendras à Marseille comme tu es venu jusqu'ici. Avec tes pieds ! Ce n'est pas loin et la route est sûre parce que très fréquentée. Une fois là-bas, tu te rendras chez le juif Manassès, il habite près du port dans la ville basse et il est très connu. Tu lui diras que Mansour, de Cordoue, t'envoie à lui pour qu'il t'aide. Il le fera.

– Et s'il ne me croit pas sur parole ? Je n'ai jamais été à Cordoue, moi !

– Il te croira quand tu lui auras dit ceci : Afania. C'est simple à retenir et ça suffira.

– C'est un mot de passe ?

Bertrand sourit :

– Entre Mansour et Manassès, oui.

– Je peux lui parler de vous ?

Le sourire de Bertrand s'accentua :

– Tu l'auras déjà fait. Mansour était le nom que je portais à Cordoue.

Ils restèrent un moment silencieux. Le mistral courbait les roseaux des berges et hérissait de petites vagues brillantes l'eau du fleuve.

– Vous retrouverai-je jamais ? Et où ? demanda avec angoisse Guillaume.

– Dans ton château des Baux, seigneur de Bals ! Et alors je sculpterai pour toi la plus belle statue qu'on aura jamais vue. Ni un apôtre, ni un prophète, je ne veux pas lutter avec le Catalan ! Une vierge.

– Qui aura les traits de Brune-la-Blonde, fit avec un reste de rancune Guillaume.

Bertrand rit :

– Préférerais-tu la sirène ou l'Ève dont je te parlais en souvenir de Merle et...

– Je ne pense plus à Isaut, mais à ma naissance ! Et vous m'abandonnez ! Alors que je ne suis sûr de rien !

Le visage de Bertrand redevint grave :

– Je suis certain que tu trouveras seul. Il le faut. Ce sera ta première épreuve de chevalier, Guillaume Bals !

Il avait posé sa main sur l'épaule de Guillaume et, se détournant brusquement pour cacher son émotion, s'en alla à grands pas en direction d'Aigues-Mortes.

Guillaume le suivit des yeux autant qu'il put. Puis, il arracha l'anneau du sachet de toile dans lequel il l'avait cousu lui-même et le passa à son index. Et il se répéta l'adieu de Bertrand : Ce sera ta première épreuve de chevalier, Guillaume Bals !

CHAPITRE XI

L'ATTENTE

Au début, Guillaume se retournait sans cesse, cherchant machinalement près de lui la silhouette haute et maigre de Bertrand. Et, chaque fois, le chagrin de se retrouver seul lui courbait les épaules. Il se sentait plus misérable, plus abandonné qu'au moment où il avait quitté Arnaud de Craon. Il vénérait le prieur tandis que Bertrand avait été son ami ! Alors, il se remettait à marcher, tête basse, visage buté sans rien voir d'autre que la route empierrée et droite – une ancienne voie romaine – conduisant à Marseille.

Une fois arrivé dans cette ville, il connut une autre forme de solitude, celle que l'on éprouve au milieu de la foule. Jamais il n'avait vu autant de gens si divers, entendu parler des langues si différentes ! Jamais non plus, il n'avait vu la mer. D'emblée, il l'aima. Pas celle qui clapotait en bordure du quai, puant le bois pourri, le chanvre moisi et le brai, couverte d'immondices et comme décolorée. L'autre. Celle qui commençait où cessaient les carènes, les mâtures, les voiles et dont le mistral balayait les eaux nues, ni vraiment vertes ni vraiment bleues, couleur des yeux que l'on dit "pers". Leur mobilité le fascinait. Il n'avait connu jusque-là que les eaux tranquilles des étangs ou celle des fleuves qui coulent dans le même sens entre des berges proches. Mais ce qu'il avait maintenant sous les yeux n'était limité que par la courbe de l'horizon, par la chute du ciel. Et cela lui semblait relever du prodige !

Il resta à contempler la mer très longtemps puis il se secoua et chercha la maison du juif Manassès. Il la trouva assez rapidement. C'était dans la partie basse de la ville, près du port, au fond d'une ruelle étroite où l'on accédait par un porche, une demeure sans grande apparence. À l'intérieur, une succession de petites pièces voûtées et sombres.

Dans la dernière se tenait Manassès. Un grand chandelier conique, gravé d'inscriptions hébraïques en argent, éclairait son visage. Il avait des traits réguliers et fins, le teint jaune et la barbe rare et il paraissait très âgé. Il écouta sans rien dire la requête de Guillaume et, ni le nom de Mansour, ni celui d'Afania ne lui tirèrent un quelconque signe. Puis il résuma l'affaire :

– Tu veux te rendre en Syrie franque et

l'homme que j'appelle Mansour, et toi Bertrand, t'adresse à moi pour que je te trouve une place sur un bateau. Ce sera difficile : aucun bateau de pèlerin ne prend la mer avant le printemps ! Il te faudra attendre trois mois !

– Trois mois ! s'exclama Guillaume atterré.

– Peut-être auras-tu la chance d'un navire marchand dont le patron sera comme toi, jeune, donc pressé de courir au-devant de son destin !

En parlant, il regardait l'anneau dont les deux pierres brillaient au doigt de Guillaume. Ce dernier, gêné, car il ne voulait pas expliquer à Manassès les raisons de sa hâte à se rendre à Antioche, tourna les pierres vers l'intérieur de sa main. Manassès remarqua le geste et son sourire disparut :

– Je vais essayer de te trouver ça. En attendant, sois le bienvenu sous mon toit si l'hospitalité d'un homme de ma religion ne te fait pas honte !

Guillaume rougit :

– Quelle honte y aurait-il ? Si Bertrand m'a envoyé à vous, c'est en ami et même s'il n'a pas jugé bon de me révéler ce qui vous liait à lui, ce ne peut être qu'un acte noble !

Manassès hocha la tête :

– Noble, en effet ! À Cordoue, il a sauvé ma fille Afania qui était en grand danger. C'est mon unique enfant et je n'aurai pas assez de ma vie entière pour m'acquitter de la dette contractée ce jour-là envers lui ! Aussi, tout ce que je pourrai pour toi, je le ferai.

Dès lors, installé chez Manassès, Guillaume commença à attendre. Les premiers jours, le temps passa vite. Il flânait sur le port ou à travers la ville et tout lui était sujet ou d'étonnement ou d'amusement : les pêcheurs en bonnet de laine rouge qui vendaient leurs poissons juste au sortir des barques, les filles à la langue aussi leste que leur démarche, les matrones au bon caquet et les moines toujours à prêcher même à la table des tavernes ! C'était la vraie cité des moulins à paroles que cette ville-là et le mistral faisait voler autant de mots que de jupes !

Mais peu à peu, le spectacle de la rue lassa Guillaume, le vent lui parut décidément trop froid, les voix criardes, les couleurs dures et il se mit à tourner en rond dans l'espace étroit de la maison de Manassès.

Un soir, le juif qui, jusque-là, l'avait observé sans rien dire, lui demanda :

– Que sais-tu exactement de cette Syrie franque où tu veux aller ?

Étonné, Guillaume répondit :

– Qu'elle est Terre sainte et que notre Sauveur Jésus y naquit, y vécut et y mourut !

Le juif eut un bref sourire :

– C'était il y a onze cents ans ! Je voulais, moi, évoquer un temps beaucoup plus proche de nous ! Sais-tu qui occupait ce pays de Syrie avant la venue des premiers barons francs, les croisés ?

– Non ! dit Guillaume qui faillit ajouter impatiemment :

– Quelle importance cela a-t-il pour moi de le savoir ?

Seule, la courtoisie envers son hôte le retint. Ce dernier le comprit et hocha la tête :

– En somme, tu sais seulement que tu veux aller à Antioche et tu ignores tout le reste ? Insensé que tu es ! Tu te précipites au-devant de grandes difficultés ! Laisse-moi, au moins, t'enseigner ce que je connais. Même si cela te semble, pour l'heure, inutile, une fois là-bas, tu m'en sauras gré !

*

* *

Ainsi commencèrent, chaque soir, des entretiens avec Manassès. Guillaume écoutait le juif lui raconter l'histoire de la Syrie, avant que ne viennent les Francs. Il apprenait les longues luttes entre les Turcs et les Byzantins et comment, lorsque ces derniers, vaincus, avaient dû abandonner une partie du pays, les seigneurs arméniens avaient continué à résister. Seuls, enfermés dans leurs forteresses de la montagne, vrais nids d'aigle imprenables, ils avaient tenu tête aux Turcs. Et ils avaient bien aidé les premiers croisés, sans en recevoir tellement de mercis, mis à part quelques mariages qui n'avaient pas toujours porté de si bons fruits !

Manassès racontait bien et dessinait des façons de cartes pour mieux se faire comprendre de Guillaume.

Peu à peu, dans l'esprit de ce dernier, ce qui n'avait été qu'une suite de noms fabuleux liés à des récits de chevaliers prenait consistance et vie.

– Ici, disait le juif, au nord, tu as Antioche, la ville aux trois cents tours, sur le fleuve Oronte, conquise par Bohémond, le Normand qui en fut le premier prince. Elle appartient maintenant à Raymond de Poitiers, l'oncle de ta reine Aliénor.

Là, plus à l'est, tu avais le comté d'Edesse, retombé au pouvoir des Turcs. N'en parlons plus.

Cette bande de terre en bordure de mer avec ses villes à la fois ports et forteresses, Saïda, Tyr, Ascalon, Saint-Jean-d'Acre, c'est déjà le royaume de Jérusalem.

Et là, c'est le dernier fleuron de la couronne franque aux quatre pointes : le comté de Tripoli. Partout ailleurs, à Damas, à Alep, ce sont des terres turques.

Le mot tombait sur Guillaume, pesant comme le plomb, blessant comme le fer et il regardait sombrement son anneau. Turc... Se pouvait-il que son père en fût un ? Non... Il chassait cette pensée. Rêvait de nouveau au seigneur de Bals, Hugues le jeune, à la chanson d'Edesse. Et il s'obstinait à taire à Manassès son nom et son histoire comme on bouche de cire un pot de parfum, de peur de lui voir perdre son odeur enivrante.

Le juif ne demandait jamais à Guillaume ni pourquoi il voulait se rendre à Antioche, ni ce qu'il comptait faire là-bas. Un soir cependant, il remarqua :

– Les journées d'attente sont longues. N'aimerais-tu pas les occuper en apprenant le maniement d'armes que tu sembles ignorer, par exemple l'épée ?

Guillaume protesta en partie pour la forme !

– Seul, un chevalier...

Le juif sourit, à sa façon brève :

– Qui saura, à Antioche, ce que tu es ? Tu ne serais pas le premier à t'être armé chevalier tout seul !

La tentation était si forte que Guillaume ne résista pas. Dès le lendemain, il commença à se rendre chez un ancien homme d'armes qui avait été écuyer du comte de Provence. Et il apprit non seulement le maniement de l'épée mais les règles du tournoi et tout ce que doit savoir un chevalier, un vrai !

Il y mettait plus d'ardeur qu'à écouter les leçons d'histoire et de géographie de Manassès !

Les semaines passèrent plus allègrement. Un matin, enfin, Manassès l'avertit qu'un patron de bateau génois qui faisait escale à Marseille acceptait de le prendre à son bord jusqu'à l'île de Chypre où il allait embarquer des étoffes et des vins. Chypre n'était pas Antioche mais les trois quarts de la route seraient faits et, de là-bas, il serait aisé de se rendre en Terre sainte. Une aussi bonne occasion risquait de ne pas se présenter avant le printemps – et on n'était qu'en février !

Guillaume décida donc de partir.

Au moment de quitter la maison de Manassès, et comme Guillaume, embarrassé, ne savait trop comment lui exprimer sa reconnaissance, le juif ouvrit un coffre, en sortit un poignard au fourreau damasquiné d'or et le tendit à Guillaume :

– Prends-le en souvenir !

La joie et la surprise le rendirent muet. Manassès reprit :

– Ce poignard est turc et ce sont les premiers mots de deux sourates du Coran qui sont gravés sur le fourreau mais tu pourras le porter sans crainte lorsque tu seras en Syrie franque car beaucoup de barons et de chevaliers en possèdent de semblables. En revanche, tu feras mieux de dissimuler l'anneau qui est à ton doigt !

Guillaume pâlit :

– Mais pourquoi ? L'une des pierres porte le blason d'un chevalier franc très noble et très connu là-bas...

– Cela se peut mais l'autre pierre, la verte, porte l'emblême adverse, le croissant de l'Islam sur l'étendard vert du prophète Mahomet. Je m'étonne que Bertrand ne t'en ait pas parlé !

Alors, Guillaume baissa la tête. Ainsi, Bertrand, depuis le début, avait su ce que signifiait le croissant de lune sur la pierre verte. Et il s'était tu !

Était-ce pour ne pas le troubler ? Il s'était borné à des mises en garde, insistant sur cette pierre verte qui pouvait contredire la rouge. Qu'avait-il pensé vraiment ? Sa voix était sincère au moment de l'adieu : "Guillaume Bals !" Il lui avait donné ce nom ! Était-ce pour l'encourager à poursuivre sa route seul ? Guillaume ne pouvait le croire ! Il devait y avoir une raison pour que l'étoile du roi mage voisine avec le croissant de Mahomet. Et cette raison il la trouverait !

Manassès l'observait en silence. Puis il lui tendit une bourse de cuir :

– Prends aussi cela. Et souviens-toi que, si l'or donne la puissance, la puissance ne dure que ce que dure un homme, autant dire rien en regard de l'éternité !

Il eut une dernière fois ce sourire furtif que Guillaume avait appris à aimer :

– Mes paroles t'étonnent ? Notre race est si calomniée ! Toujours associée – et avec quel mépris – à l'argent ! En vérité, qui nous connaît ?

Guillaume accepta donc, sans toutefois se douter que la bourse était pleine de pièces d'or : des besants frappés à Byzance à l'effigie de l'empereur Manuel Comnène.

Lorsqu'il s'en aperçut, il était déjà, depuis un moment à bord du bateau génois et les collines de Marseille commençaient à s'estomper. De l'arrière de la galéasse, il regardait le mince ourlet de terre qui le reliait encore un peu à Arnaud de Craon, à Bertrand, à un passé qu'il s'acharnait à retrouver. Pourquoi faire ? Qu'importait sa naissance quand une terre nouvelle, une vie nouvelle s'ouvraient à lui ? Il se sentait désormais assez fort pour se bâtir, seul, un avenir. Le juif n'avait-il pas dit : "Qui saura, à Antioche, ce que tu es ?"

Il fut sur le point de jeter l'anneau dans la mer. Déjà il entrouvait les doigts au-dessus du dessin mouvant des vagues. Soudain, il revit le corps disloqué de l'acrobate et le regard cruel de Raymond Bals. Si le chevalier de la chanson d'Edesse était mort par traîtrise, qu'il fût ou non son père, il voulait le venger ! Pour cela, il fallait garder l'anneau.

Mais il ne le remit pas à son doigt. Pour la troisième fois, il l'accrocha, enveloppé de toile, à son cou.

CHAPITRE XII

LE SEIGNEUR DE MALATYA

En arrivant à Chypre, au bout de deux semaines, le patron de la galéasse recommanda Guillaume à un Grec dont la felouque quittait Famagouste pour Saint-Jean-d'Acre avec un chargement de tissus précieux qui venaient de Byzance pour la cour du roi de Jérusalem. Et, encore une fois, Acre n'était pas Antioche, très au sud même ! – mais Guillaume avait une telle impatience de se retrouver enfin en Terre sainte qu'il accepta l'offre du Grec.

Deux jours plus tard, ils abordaient à Saint-Jean-d'Acre. Le vent de mars gonflait les bannières en haut des tours de la citadelle et l'étendard du roi de Jérusalem flottait sur le palais : la reine-mère Mélissande était à Acre avec son fils, le jeune roi Baudoin III qui n'avait que dix-huit ans.

Le Grec expliqua cela à Guillaume dans une taverne proche du port où ils buvaient du résiné avant de se séparer :

– C'est une femme très brouillonne que cette reine et toute d'intrigue comme sa sœur Alix la princesse-mère d'Antioche. Elles tiennent, à ce qu'on dit, de leur mère, une princesse arménienne, la fille du vieux seigneur arménien Gabriel. Le vieux lion de Malatya. Malatya, c'est sa forteresse, dans le Taurus !

Guillaume écoutait. Le résiné lui tournait doucement la tête. Il croyait entendre le juif Manassès et, plus avant, le commandeur des templiers dans la salle de la Dômerie. Se pouvait-il que ce soit lui, Guillaume qui soit là, maintenant, pris dans ce bariolage de couleurs et d'odeurs, des ocres, des safrans, des verts sombres, des pourpres et une poussière aussi rousse que les cheveux des femmes qu'il apercevait, sous les voiles de mousseline, dans la rue ?

Même la mer et le vent n'avaient pas la même odeur ici qu'en France. Des senteurs trop riches de poivre et d'iode, d'orangers en fleurs et de musc se mêlaient au suint des moutons, à la pisse d'âne, à l'huile rance ; et le tout barbouillait l'estomac !

– Si tu es en peine, fit le Grec en buvant une dernière rasade, va trouver mon cousin Demetrios. Il est portier chez les dames hospitalières et ce sont de saintes femmes mais aussi curieuses que bavardes. Par elles il sait tout ce qui se passe à Acre mieux que le prévot du roi Baudoin !

Il donna à Guillaume une grande claque sur l'épaule et quitta la taverne, de son pas chaloupé de marin. À nouveau, Guillaume se sentit seul mais, cette fois, il était parvenu presque au terme de son voyage et il était décidé à se rendre le plus rapidement possible à Antioche. Une fois là-bas, il verrait le vieux seigneur de Bals, lui montrerait l'anneau et... advienne que pourra !

De la taverne, il se rendit directement chez les dames hospitalières et demanda Demetrios. La chance le servit. Ce dernier expliqua que, justement, le vieux seigneur de Malatya, l'Arménien Gabriel, qui avait passé la Noël à Jérusalem dans le palais de son arrière-petit-fils, le roi Baudoin, avait décidé de regagner sa forteresse de Malatya dans le Taurus. Lui et toute son escorte quitteraient Acre sous peu et passeraient forcément par Antioche. La princesse Constance n'était-elle pas, elle aussi, une arrière-petite-fille du vieux seigneur ? Mais à quel titre se joindre à eux ? Demetrios se mit à rire :

– Tu as bien un peu d'argent ?

Guillaume, qui se rappelait sa mésaventure avec Jean-le-Rat, se garda bien de parler des besants d'or !

– Un peu, fit-il prudemment.

– Ce peu suffira, je pense ! L'escorte est très nombreuse, le vieux seigneur est très puissant, presque l'égal d'un roi, là-bas dans ses montagnes ! Je vais négocier ça. Donne-moi... (il réfléchit) deux marcs d'argent et repasse demain !

Guillaume donna les deux marcs et, lorsqu'il revint le lendemain, Demetrios arborait un grand sourire : l'affaire était conclue et Guillaume partirait, mêlé aux serviteurs d'un certain Thoros qui était le neveu de Gabriel et le chef de ses hommes d'armes.

*

* *

Deux jours plus tard, juché sur une mule qui lui rappelait des souvenirs, Guillaume suivait la longue procession des serviteurs, des chameaux, des bagages, des tentes, qui s'acheminait le long de la mer, sur une route de corniche en direction de Tyr et de Sidon. Les gardes, eux, montaient de petits chevaux arabes, élégants et nerveux comme l'avait été Beau-Sire. Le vieux Gabriel chevauchait au milieu de ses chevaliers, et Guillaume apercevait de loin son armure dorée qui renvoyait le soleil comme un miroir.

Quant à Thoros, le neveu, il n'avait même pas remarqué Guillaume dans la foule de ses serviteurs. En connaissait-il seulement le nombre ? Mais Guillaume l'avait observé tandis qu'il donnait ses ordres aux gardes protégeant ses bagages personnels, et Thoros ne lui plaisait pas. Pourquoi ? Il n'aurait su le dire exactement. Il était encore jeune, assez beau, bien campé dans son armure d'acier brillant. Peut-être était-ce à cause de son regard qui se dérobait sans cesse ? Ou de sa voix qui pouvait couler avec une douceur de miel pour, l'instant d'après, cingler comme une lanière ou grincer comme une poulie mal huilée ?

Mais, après tout, qu'est-ce que Guillaume avait à en faire ? Il voulait se rendre à Antioche, vite, et sans courir de danger inutile. L'escorte du seigneur de Malatya lui en fournissait l'occasion. Il ne demandait rien d'autre !

Car, depuis la chute d'Edesse, dès qu'on sortait des villes ou des forteresses, il n'y avait plus de sûreté. Partout, dans la campagne, les gens vivaient dans la hantise de voir soudain surgir, sur leurs petits chevaux rapides, les cavaliers turcs en manteau blanc dont les flèches semaient la mort. Ils pillaient, brûlaient, rançonnaient et repartaient dans leurs montagnes, vers Alep, vers Mossoul, vers Damas, sans que l'on puisse rien que pleurer de rage impuissante et relever les ruines en serrant les poings.

Sur les routes, c'était pire, surtout lorsque, passé Sidon, on abordait la vraie corniche, entre la mer et la montagne du Liban. C'était un lieu propice aux embuscades, spécialement dans les gorges du torrent Nahr el Kelb, entre Beyrouth et Tripoli. Le soir, autour des feux, les hommes de l'escorte racontaient cent récits effroyables, et Guillaume aurait préféré que le seul serviteur de

Thoros qui parlait le français ne les lui traduise pas ! Il n'avait guère envie de se retrouver, vendu sur le marché comme un mouton ou bien tournant la roue d'un moulin ou la noria d'un puits, comme un mulet ! Il avait connu le servage. Cela lui avait suffi !

Et puis, autre chose l'inquiétait, en plus du danger turc : un malaise régnait parmi les gens de la suite de Gabriel. C'étaient des conciliabules soudain arrêtés, des chuchotements tard dans la nuit, des allées et venues insolites, menus signes que Guillaume percevait d'autant mieux que, ne comprenant pas l'arménien, il observait davantage les visages et les attitudes. Les chefs, les chevaliers, Gabriel, bien sûr, et Thoros parlaient le français du Midi et le grec. Quelques serviteurs aussi mais tous donnaient leurs ordres en arménien.

*

* *

Une nuit qu'il ne parvenait pas à dormir, il se glissa jusqu'à un petit bois de cèdres qui surplombait le campement. La nuit était très claire et douce ; les étoiles brillaient d'un éclat qui lui semblait insolite. Elles avaient l'air plus grosses, plus proches et leur rayonnement se teintait de rouge, parfois, ou de bleu. Jamais il ne l'avait remarqué. Il n'y avait aucun vent, pas même la brise de mer qui, souvent, se levait le soir. Aussi fut-il étonné de voir onduler les herbes aux abords des premières tentes. Et que faisaient les hommes de veille ? Il regarda mieux. Si c'était quelque animal sauvage en train de chasser... en fait d'animal, il vit une silhouette d'homme se dresser à demi, marcher, courbée entre les tentes, s'approcher de celle où reposait le vieux Gabriel. Alors, retenant son souffle, Guillaume se laissa glisser doucement le long du talus et, contournant la même tente en sens inverse, atteignit l'entrée au moment où l'homme soulevait la portière en cuir et pénétrait. Sans hésiter, Guillaume fit de même. L'absence des gardes l'intriguait trop. D'ordinaire ils étaient une demi-douzaine à veiller près de leur seigneur.

L'intérieur était si sombre que ce fut plus par intuition que d'un mouvement raisonné que Guillaume bondit et arrêta le bras de l'homme au moment où il allait poignarder le maître de Malatya. Lui-même avait tiré son poignard. La lutte fut brève. L'homme s'abattit de tout son long et sa chute provoqua un grand remue-ménage dans le campement. De toutes les tentes, surgissaient des chevaliers à demi endormis, des gardes à demi nus. Tous, d'un même mouvement, se précipitaient vers le bruit. Et le premier à entrer sous la tente de Gabriel fut Thoros. Il tenait une torche à la main. Lorsqu'il vit le vieux seigneur debout, près de lui ce garçon inconnu, et, à leurs pieds, l'homme baigné de sang, une crispation durcit ses traits. Il cria un ordre en arménien et, avant qu'il ait eu le temps d'ouvrir la bouche et même de bouger, Guillaume se vit encadré par des gardes en armes. Le vieux Gabriel semblait stupéfait et comme somnolent encore. Mais très vite, il se ressaisit et, d'un coup de pied, retournant le cadavre de l'homme de façon à voir son visage, poussa une exclamation.

– Matheos !

Ses yeux cherchaient ceux de son neveu. Il y eut un instant de flottement puis s'adressant à Guillaume en grec d'abord ensuite en français lorsqu'il vit qu'il ne comprenait pas :

– Raconte !

Guillaume raconta.

– Il ment ! cria Thoros. Ne l'écoute pas ! Matheos t'aimait et t'avait juré fidélité. C'est le contraire qui s'est passé. C'est ce chien qui voulait te tuer et Matheos l'a surpris et voilà pourquoi il l'a poignardé ! Matheos t'a sauvé la vie en sacrifiant la sienne !

Guillaume était si stupéfait de la rouerie de Thoros qu'il en demeura une seconde bouche bée puis il cria à son tour :

– C'est lui qui ment ! Je le jure sur le Christ ! Et d'abord, quel intérêt aurais-je eu, moi, à te tuer ? Je ne te connais pas, je ne connais aucun de vous, j'arrive tout juste de France !

– Cela est vrai, dit Gabriel. Quel intérêt cet enfant aurait-il tiré de ma mort ?

– Quel intérêt ? fit en ricanant Thoros. Regarde son arme ! C'est un espion payé par Noured-Din !

À la lueur des torches qui illuminaient à présent l'intérieur de la tente, le poignard donné par le juif Manassès passait de main en main, avec sa garde damasquinée d'or et son fourreau où étaient gravés les premiers mots de deux sourates du Coran. Et comment expliquer au vieil homme, qui maintenant semblait croire Thoros, que tout cela n'était qu'une supercherie tragique bâtie de main de maître par son neveu pour tenter de sauver sa tête ? Car l'homme qui avait essayé de tuer Gabriel était le propre gendre de Thoros ! On ne pouvait imaginer qu'il n'ait pas agi sur son ordre !

– Et cela ? cria de nouveau Thoros qui s'était approché de Guillaume et avait aperçu la bourse que, par prudence, il portait sur lui jour et nuit.

Il la tira violemment, l'ouvrit. Les pièces d'or roulèrent, à l'effigie de l'empereur Commène.

– Qui t'a payé ? demanda Gabriel. Le Turc ou le Byzantin ? Ou les deux ?

Dans son désir d'en finir, Thoros, apercevant la guenille de toile pendue au cou de Guillaume, la lui arracha espérant y trouver une preuve supplémentaire pour convaincre Gabriel. Mais lorsqu'il vit Thoros brandir devant lui l'anneau aux deux pierres, le vieux seigneur de Malatya poussa un cri :

– L'anneau de Zengi ! L'anneau disparu !

Thoros blêmit tandis que le vieil Arménien demandait à Guillaume :

– D'où te vient cet anneau ?

– Je le portais au cou tout petit enfant lorsque je fus abandonné.

– Abandonné...

D'un geste brusque le seigneur de Malatya congédia tout le monde :

– Laissez-moi seul avec lui !

– Vous ne le croyez pas ? gronda Thoros. L'anneau de Zengi, il l'aura volé !

Le vieux seigneur toisa son neveu :

– Sors toi aussi et emmène ça avec toi !

Il désignait le cadavre de Matheos. Deux hommes l'emportèrent. Thoros sortit derrière eux.

Gabriel s'était assis sur les peaux d'ours amoncelées en lit :

– Raconte, cette fois, tout, depuis le début de ta vie !

Guillaume obéit sans rien cacher ni le fouet de Bérard-le-Rouge, ni l'étrange conduite d'Amaury l'écuyer et comment le juif Manassès lui avait donné ce poignard turc et cette bourse pleine d'or à cause de Bertrand qui avait sauvé sa fille à Cordoue.

Lorsqu'il eut achevé son récit, le maître de Malatya demeura silencieux un long moment puis il dit :

– Reste près de moi cette nuit.

Il lui jeta deux peaux d'ours et se réinstalla

pour dormir. Il avait gardé l'anneau. Guillaume, n'osant pas le lui réclamer, demanda :

– Qui était Zengi ?

Gabriel eut un sursaut :

– Tu l'ignores ! De quoi donc parlent vos chevaliers en France ? Zengi était l'atabeg turc d'Alep et de Mossoul et le plus grand chef de guerre que les Francs aient eu à combattre depuis leur venue en Syrie. Dieu ait son âme, bien qu'il fût un païen, car il avait un grand courage et c'était un ennemi loyal.

– Il est donc mort ?

– Voilà deux années. Il a été assassiné. Comme j'ai bien failli l'être ! Dors maintenant. Tu dois le pouvoir, tu es jeune !

Mais comment trouver le sommeil avec ces noms qui sonnent dans la tête, Zengi, Alep, Mossoul, un chef turc... Et c'était son anneau... Le croissant d'argent sur l'étendard vert du Prophète... Et il avait envie de crier : mais l'étoile du mage et la chanson d'Edesse, dans tout ça qu'est-ce qu'elles deviennent ? Et moi, de qui suis-je le fils ? De qui ?

Il finit par s'endormir et s'éveilla en sursaut, à l'aube, comme les serviteurs et les hommes d'armes commençaient à regrouper le convoi. On devait aborder dans la journée la passe la plus dangereuse, celle des gorges du Nahr el Kelb, dans la partie la plus étroite de la corniche libanaise.

En prévision de la chaleur, les cavaliers jetaient

sur leurs armures de grands manteaux légers pour lutter contre la réverbération du soleil. Gabriel ordonna qu'on selle un cheval pour Guillaume et, au moment du départ, le voyant sans armure et sans arme, il lui rendit le poignard de Manassès mais il ne reparla plus de l'anneau.

CHAPITRE XIII

LES GORGES DU NAHR EL KELB

Il était près de midi quand le convoi atteignit les gorges du Nahr el Kelb. Au-dessus des montagnes, l'air était si transparent que les crêtes rocheuses paraissaient à portée de main. Le ciel et la mer avaient le même bleu intense, presque violet à l'horizon. Le soleil aveuglait. Des aigles tournoyaient.

Gabriel chevauchait, silencieux et sombre. La tentative d'assassinat dont il avait failli être victime l'avait durement touché et il redoutait d'éclaircir le complot par crainte de ce qu'il allait apprendre. Il se sentait, ce jour-là, plus vieux que de coutume et, soit fatigue, soit prudence, n'avait pas revêtu son armure dorée. Il portait une cotte de maille légère et rien ne le distinguait donc de ses hommes.

Le convoi s'étirait à présent le long du défilé et

chacun scrutait avec angoisse la ligne aiguë des rochers miroitant sous le soleil mais tout semblait calme. Rien ne bougeait.

Soudain, une pluie de flèches s'abattit sur le convoi. Les cavaliers turcs dévalèrent des crêtes et se jetèrent sur le groupe où se trouvait Thoros dont l'armure d'argent étincelait.

Bientôt la mêlée devint générale. Les serviteurs, pour tenter de se protéger, se glissaient, à plat ventre, sous les chariots mais les mules affolées par les sifflements de flèches et les cris aigus des Turcs, s'emballaient, renversaient leurs charges et les entraînaient sur la pente mortelle qui dominait la mer. Les chevaux tombaient, blessés trop aisément au poitrail ou bien se cabraient, fous de peur, désarçonnant leurs cavaliers. Alors, les hommes se battaient, au corps à corps, parmi les pierrailles qui s'éboulaient et les touffes des épineux. Les Arméniens étaient de bons guerriers et ils avaient l'habitude de ces sols de montagne. Mais les Turcs avaient pour eux le nombre.

Guillaume, dès le début de l'attaque, avait ramassé l'épée d'un mort, renonçant à se servir du poignard, trop dangereux à manier sans armure. Son cheval avait été abattu parmi les premiers et il se défendait avec vigueur lorsqu'il aperçut, dans le tumulte et les hurlements, le vieux Gabriel adossé près des roches en surplomb. Lui aussi avait perdu son cheval et, tenant à deux mains sa lourde épée, il fendait les têtes avec des "han" de bûcheron. Mais visiblement, il s'essoufflait et, malgré son courage, menaçait d'être débordé.

Guillaume courut vers lui et, se servant des branches d'un arbuste comme de cordes, se hissa sur le rocher en saillie. Il était en position dominante et les Turcs, surpris par une attaque qui venait d'au-dessus d'eux, se crurent cernés et refluèrent vers le centre où Thoros se défendait avec acharnement.

Il finit par succomber sous le nombre. Un coup de cimeterre lui trancha la tête. Un des cavaliers la brandit comme un trophée. Son heaume incrusté d'or brillait. Se méprenant, les Turcs pensèrent qu'ils venaient de tuer le chef du convoi. L'un d'eux leva l'étendard vert en signe de ralliement et ils disparurent derrière les crêtes comme ils étaient venus.

La nuit tombait. On ramassa les blessés, on tenta vaille que vaille d'installer un campement de fortune et les langues se délièrent ! Thoros mort, c'était à qui le chargerait pour se disculper soi-même.

Debout, près de la tente qu'on lui avait hâtivement montée, le vieux seigneur de Malatya écoutait. La lâcheté humaine n'avait rien de nouveau pour lui – il était si âgé ! – tout de même tant de bassesse l'écœurait. Il leur ordonna avec rudesse de se taire. Puis il entra dans sa tente et fit appeler Guillaume.

Ce dernier le trouva assis sur son lit de peaux

d'ours. Il tenait à la main l'anneau de Zengi et le regardait d'un air songeur. À la lueur des torches, les pierres brillaient.

– C'est un bel anneau, dit le vieux Gabriel, comme poursuivant tout haut un monologue intérieur. Et une belle histoire, digne des deux hommes dont les armes sont accolées ici. Bien qu'ennemis, ils s'estimèrent et se combattirent toujours sans lâcheté ni félonie. Maintenant qu'ils sont morts, il me semble parfois qu'avec eux s'est éteinte une forme de chevalerie !

Il s'arrêta un instant, regardant Guillaume :

– Tu as entendu mes hommes tout à l'heure ? Acharnés comme des vautours sur un cadavre, pour détourner mes soupçons, sauver leur précieuse vie ! Combien étaient du complot qui devait m'abattre ? Presque tous peut-être...

Il soupira, reprit après un nouveau silence :

– Tu t'es bien battu, sans cotte de maille ni bouclier et j'ai aimé ta bravoure. Elle m'en a rappelé une autre, celle du chevalier à qui fut offert cet anneau, Hugues Bals, le héros de la chanson d'Edeşse...

– Pourquoi alors l'appeler l'anneau de Zengi ? s'écria Guillaume qu'un espoir soudain soulevait.

– Parce que c'est Zengi qui le fit ciseler par le plus habile orfèvre de Damas, lui qui voulut que l'étoile des Bals soit unie à ses propres armes, le croissant de l'Islam, lui enfin qui le donna à Hugues Bals en signe d'une reconnaissance aussi indestructible que les deux pierres qui l'ornent.

Guillaume écoutait avec passion. Le vieux seigneur de Malatya reprit, de la même voix lointaine :

– C'est une longue et belle histoire. Hugues Bals combattait en Terre sainte depuis déjà deux années et Zengi n'était encore qu'un chef musulman, jeune et valeureux certes, mais loin d'avoir atteint la renommée qu'il eut par la suite. Tous deux guerroyaient vers Edesse mais peut-être ne se seraient-ils jamais rencontrés sans un incident qui fut cause du reste. Un jour, Hugues Bals attaqua par surprise un campement turc, dans la montagne, près d'Alep. Les hommes du campement se défendirent avec courage mais les soldats francs l'emportèrent et les Turcs furent faits prisonniers. Or, il se trouva que, parmi les captifs, Hugues aperçut une très jeune femme qui venait juste d'accoucher d'un fils. Son allure, ses vêtements richement brodés, ses bijoux montraient qu'elle était de haute naissance et l'épouse d'un chef important.

Il aurait pu, comme c'est l'usage, l'emmener pour en tirer une rançon. Mais un vrai chevalier laisse ces sortes de marchés aux mercanti ! Il libéra cette femme, ordonna qu'on installe une tente pour l'abriter, elle et son enfant, lui donna des vivres, lui rendit ses servantes et même une chamelle pour allaiter le nouveau-né.

Or cette femme était l'épouse de Zengi et l'enfant, son premier-né. À l'annonce de l'attaque du campement, il accourut d'Alep, désespéré et s'attendant au pire. Il les retrouva ainsi que je viens de te dire, alors il jura une gratitude éternelle au chevalier franc qui avait respecté sa femme et sauvé son fils. Il fit faire cet anneau et envoya un messager l'apporter à Hugues Bals.

Ce dernier fut touché et porta désormais la bague de Zengi sans jamais l'enlever ni de jour ni de nuit. Lorsqu'il fut tué et qu'on ne trouva pas l'anneau, on crut que les pillards qui avaient attaqué son escorte avaient volé la bague. Imagine ma surprise en la voyant sur toi !

Guillaume réfléchissait :

– Vous dites qu'il fut tué par des "pillards". Ce ne fut donc pas en combat loyal ?

– Non certes ! Mais dans une embuscade où tout périt, sa jeune femme, son fils né d'un mois à peine, ses serviteurs. Et Zengi en ressentit tant de colère qu'il jura, dit-on, de retrouver ces hommes, plus brigands que soldats et de les exterminer à son tour.

– Y parvint-il ?

– Je ne sais pas. C'était un ennemi, un infidèle. Pour loyal qu'il se soit montré envers Hugues Bals, je n'entretenais pas de rapport d'amitié avec lui !

– Mais avec Hugues Bals, oui ?

– Je connaissais surtout son père, Hugues l'ancien, avec qui j'avais combattu lors du siège de

Saint-Jean-d'Acre. Lui je ne l'ai guère vu que lors de son mariage : il avait épousé ma nièce, la princesse arménienne Orfa. Et ils se rendaient, chez mon frère, dans sa forteresse d'Arda lorsqu'ils furent surpris et massacrés. Leur premier fils venait juste de naître, ils allaient le présenter à son grand-père.

Il regarda longuement Guillaume mais n'ajouta rien. Ce dernier attendait, anxieux, le verdict du maître de Malatya. Allait-il le reconnaître comme le fils d'Hugues Bals et de sa nièce ? Le prenait-il, au contraire, pour un imposteur ?

Comment imaginer que seul, un si petit enfant, presque nouveau-né ait échappé au massacre où toute l'escorte avait péri ? Plus encore, par quel cheminement incroyable le fils du chevalier de Bals et de la princesse arménienne Orfa se serait-il retrouvé serf en terre aquitaine ? À des milliers de lieues de l'endroit où il était né !

Le désespoir gagnait peu à peu Guillaume. Tout se brouillait dans sa tête, il cherchait quelle preuve il pourrait trouver pour lever les doutes. Si Bertrand avait été là, peut-être y serait-il parvenu ?... Il dit d'un ton découragé :

– Amaury l'écuyer et Raymond Bals ont été troublés par ma ressemblance avec Hugues !

Le vieux Gabriel hocha la tête :

– Moi, je ne saurais l'affirmer. Tant de visages flottent dans ma mémoire qu'avec le temps, je les confonds !

Il regarda de nouveau l'anneau posé au creux de sa main et Guillaume sentit qu'il hésitait à le lui rendre.

– Cet anneau, je le portais sur mes langes, il faut que vous me croyiez ! Je ne l'ai pas volé !

– Je ne t'en accuse pas ! Mais, mon pauvre enfant, d'autres ont pu le voler et le placer sur toi !

– Tous ont-ils vraiment péri dans l'embuscade ? Quelle preuve en a-t-on ? Raymond Bals disait qu'on n'était sûr de rien...

Il ajouta à voix basse :

– ...à cause des vautours...

Le vieux Gabriel haussa les épaules et son visage se durcit :

– Il lui va bien de parler des vautours ! Vautour lui-même ! Engraissé des dépouilles d'un mort si même il n'en fut pas la cause !

– Vous croyez que cette embuscade, Raymond Bals l'aurait lui-même montée ! Pour faire périr son propre frère ?

Tout en parlant il revoyait le corps disloqué de l'acrobate et le regard cruel semblable à celui de l'épervier.

Le seigneur de Malatya eut un geste de fatigue :

– À mon âge, on ne croit plus que ce que l'on voit de ses propres yeux, et encore ! Mais il est certain qu'en son temps, cette embuscade a beaucoup fait parler. Raymond n'était guère aimé, ni de ses pairs, ni de ses hommes, ni de son propre père, cela, je m'en souviens ! S'il fut soupçonné, on ne put jamais rien prouver sauf que la mort de son frère lui profitait. Et si l'on devait accuser de crime tous ceux qui héritent de terres par suite de mort violente, la liste serait longue !

Il y eut un nouveau temps de silence. Du dehors venaient des bruits de voix, des aboiements de chiens que les rochers répercutaient.

– Les haines de famille, reprit d'un ton amer le vieux Gabriel, qui peut dire ce qu'elles sont, où elles mènent... Vois plutôt : j'aimais Thoros comme un fils et pourtant il voulait me tuer alors qu'il lui suffisait d'avoir un peu de patience pour me succéder ! Mais l'ambition et la soif du pouvoir font de l'homme un loup sans entrailles. Je le sais car j'en fus un !

Il tendit brusquement l'anneau à Guillaume :

– Reprends-le ! On l'a trouvé sur toi. Même si tu n'es pas le fils d'Hugues Bals, pour moi, il t'appartient.

Guillaume baissa la tête, et reprit l'anneau.

Deux jours plus tard, ils arrivèrent à Antioche. On était le 20 mars 1148 et la veille, dans le petit port de Saint-Siméon avaient accosté les vaisseaux de la flotte royale qui amenaient enfin au but de leur croisade le roi de France Louis VII et la reine Aliénor.

CHAPITRE XIV

LE TOURNOI AU BORD DE L'ORONTE

La ville entière bruissait de soies et d'ors. Le matin, le vent de mer, passant sur les vergers de la plaine, portait, par brassées, l'odeur des pêchers et des citronniers mais, vers le soir, une petite brise tombait des hauteurs du Djebel Akra, rafraîchissante comme un sorbet, ponctuée de senteurs toniques, de résine et de cèdre. Des jardins en terrasses des hauts quartiers, on apercevait mieux les murailles aux trois cents tours, les flèches neuves des églises et l'Oronte gonflé par la fonte des neiges.

Mais le vieil Hugues Bals ne jetait pas un regard sur la ville fastueuse et verte, ruisselant de richesses sous son ciel de turquoise et de verre filé comme une lampe de mosquée.

Il était sombre et triste dans la joie générale. Cette atmosphère de fêtes lui pesait. Et, plus que tout, l'obligation d'assister au tournoi que le prince d'Antioche, Raymond de Poitiers, offrait aux souverains de France et qui se déroulerait tout à l'heure dans la prairie au bord de l'Oronte. Il avait revêtu sans entrain son bliaud de soie rouge, peigné sa barbe grise, posé sur ses épaules le manteau tissé de fils d'argent qu'il comptait donner à quelque église. Bientôt, il ne porterait plus d'autre costume que celui des chevaliers hospitaliers de Saint-Jean, noir avec la croix blanche cousue au côté droit.

Il n'était venu en Terre sainte que dans ce but : entrer dans l'ordre que Gérard de Martigues, un Provençal comme lui, avait fondé. Gérard était mort depuis longtemps... Vingt-cinq années, peut-être plus, il ne se souvenait plus et d'ailleurs, quelle importance ? L'actuel grand-maître l'accueillerait, il le savait. Il mourrait en moine-soldat pour la défense du saint sépulcre et le plus tôt serait le mieux !

Il était revenu pour mourir ici et reposer dans la même terre que son fils aîné. Et sans doute l'avait-il trop aimé, celui-là, trop préféré à ses autres enfants, sans doute avait-il été trop fier de sa force, de sa bravoure. Dieu l'en avait bien puni ! Il ne pouvait même pas coucher son vieux corps douloureux sur la dalle de marbre dans l'église d'Edesse, baiser le nom gravé au-dessus de l'étoile sur l'écu à deux bandes alternées. Elle était retombée aux mains des infidèles. Et peut-être les Turcs, en reprenant la ville, avaient-ils profané sa tombe, jeté ses os et brisé le marbre ?

Il le savait bien, qu'il était dérisoire de s'attacher à ces détails-là ! Mais la prise d'Edesse lui aurait-elle été un tel coup de poignard si son aîné, son beau et doux enfant, avait dormi ailleurs, dans le cimetière d'Acre ou de Tripoli ou de Jérusalem ou même d'Antioche – une ville pourtant que le vieux Bals n'avait jamais aimée ! Déjà du temps de l'autre, du grand Normand rusé, pillard comme un chef de bande qu'avait été Bohémond, le vieil Hugues – si jeune alors – avait détesté cette ville !

Comme s'il avait pu se douter de la souffrance et de la honte qu'il lui faudrait un jour endurer là. Et Dieu lui était témoin qu'il n'était pas venu en Terre sainte par esprit de vengeance, ni pour donner un motif au peu d'amour qu'il portait à son autre fils, Raymond. Non ! Il n'était pas venu pour fouiller le fumier comme un serf, ni interroger, ni épier comme un clerc de tribunal sournois et sordide ! Le passé était mort avec l'un de ses fils. Peu importait le rôle qu'y avait tenu l'autre !

Voilà ce qu'il se disait alors. À présent, il ne le pouvait plus. Et si la perspective d'assister à ce tournoi lui pesait tant, n'était-ce pas que la colère et la honte rongeaient son cœur et qu'un grand soleil noir éteignait toutes choses depuis qu'il savait ?

Sans l'avoir voulu, sans l'avoir cherché. Une cascade de hasards. Et, bien que l'homme ait affirmé que personne, hors lui, n'avait jamais connu la vérité, le vieil Hugues Bals éprouvait la même souffrance que si tous ses pairs l'avaient sue ! Et comment lui, seigneur des Baux, tenant de plus de fiefs qu'aucun autre baron de Provence, avait un fils renégat, assassin, qui, pour tuer son frère, avait fait appel aux païens !

Au souvenir de la scène qui s'était déroulée ici même l'avant-veille, la colère renaissait, à nouveau le secouait de brusques rafales sèches comme le vent de Provence ployait, aux Baux, les chênes verts. Il recomposait tout, minutieusement depuis la première minute ou l'homme était entré...

Hugues avait regardé, étonné, ce Syrien semblable à des centaines d'autres qu'il croisait dans les rues d'Antioche ou apercevait flânant au seuil de leurs boutiques. Ni vieux ni jeune, d'assez chétive apparence et le regard obstinément fixé sur ses mains – des mains qui tremblaient, cela Hugues l'avait d'entrée remarqué. Et son étonnement avait grandi. De quoi avait peur cet homme et que venait-il faire ?

Dès les premiers mots, prononcés à voix presque basse, Hugues avait compris quelle confession ce misérable allait lui imposer d'entendre. Car il ne venait pas acheter un silence mais se libérer d'un insupportable remords. Et chacun de ses mots, chacune de ses phrases clouait Hugues au bois de la croix !

Si seulement un doute avait été possible. Mais non ! L'homme donnait tous les détails, toutes les précisions. La rencontre de nuit avec Raymond, le plan dressé pour l'embuscade, les hommes recrutés parmi les rebuts de l'armée turque, soldats errants sans foi ni loi, le montant exact de la somme...

Quand l'homme s'était enfin tu, à la fois tremblant et soulagé par son immonde récit, Hugues s'était dressé :

– Hors d'ici ! Renégat, assassin, traître !

Mais les injures qu'il hurlait ne s'adressaient pas à cette larve, à cet entremetteur misérable. Hugues les avait criées comme on s'arrache un morceau de sa propre chair, criées à un absent, à celui qui avait conçu le plan, qui avait payé – et avec quel argent, gagné où ? – le véritable assassin, le véritable renégat, son fils Raymond.

Pourquoi avait-il commis ce crime ? Quelle jalousie l'avait poussé ? Quelle haine ? S'était-il senti à ce point mal aimé ? Était-ce donc sa faute, à lui, leur père, si Raymond avait tué Hugues ?

Près de la ville en fête dont la rumeur joyeuse montait jusqu'à lui, Hugues remâchait comme une herbe amère ce souvenir de honte et de douleur. Un instant, il regarda ses mains déformées par les rhumatismes et couvertes de taches brunes – de vieilles mains sans force, juste bonnes à soulever des épées de parade comme celle qui pendait à son côté dans son fourreau incrusté de sardoines et de béryls. Elle aussi, il la donnerait. On en ornerait un vase d'église et ce serait bien ainsi.

Puisqu'il n'y avait plus de garçon pour porter son nom ! Que Raymond n'ait eu que des filles l'avait longtemps désolé. Maintenant il en remerciait Dieu ! Sa race félonne s'éteindrait avec lui !

Si l'autre avait vécu, c'eût été différent... Le petit enfant mort dans cette boucherie, ce carnage, ce combat de la honte à vingt contre un ! L'homme avait bien prétendu que peut-être... qu'il lui avait semblé, des buissons où il s'était caché, qu'un corps de femme remuait après que les Turcs égorgeurs se furent dispersés... À cette vue, il avait pris peur et s'était enfui... Et n'avait-on pas dit, alors, qu'on n'avait pas retrouvé le corps ni de l'enfançon ni d'Étiennette, la petite Étiennette venue des Baux, avec Rémy son mari pour servir la jeune épouse d'Hugues ?

Était-il possible qu'elle ait réussi, par miracle, à se sauver et à sauver l'enfant ? Mais n'aurait-elle pas tenté de revenir aux Baux ? Ne se serait-elle pas, de quelque manière, fait reconnaître de quelques chevaliers amis d'Hugues et qui le pleuraient à Edesse ?

Non... Le rêve eût été beau s'il n'eût été un rêve... Hugues hocha la tête et quitta la terrasse pour se rendre au tournoi.

*
* *

Lorsqu'il arriva dans la grande prairie au bord de l'Oronte, les tribunes étaient déjà pleines. L'éclat des tissus d'or, sous le soleil, blessait les yeux et l'odeur des fleurs tressées en guirlandes alourdissait l'air. Le bruit de la foule était tel que plusieurs des cavaliers déjà groupés derrière les barrières avaient de la peine à tenir leurs chevaux.

Hugues remarqua, parce qu'il se tenait un peu en retrait et montait un cheval superbe, un chevalier portant au bras un écu sans blason. Le fait était rare. Hugues en fut frappé et, un instant, se demanda qui pouvait bien être ce garçon. Puis il l'oublia car il arrivait dans la tribune du prince d'Antioche.

Raymond de Poitiers avait, en tous temps, grande allure et il était un des plus beaux chevaliers de son temps. Mais ce jour-là, sa haute silhouette se détachait, encore plus magnifique sur le fond de draps pourpre et de tapis de soie dont la tribune était ornée. Et le roi de France qui était pourtant de bonne taille, élancé, de visage régulier, plus jeune en outre, semblait, à ses côtés, terne et plutôt maussade.

Le roi n'eut pas un sourire quand le vieux seigneur de Bals lui baisa la main en signe d'hommage du vassal à son suzerain. Et il ne dit pas un mot. Il est vrai qu'il ne parlait pas la langue d'oc et la comprenait mal ! La reine Aliénor, en revanche, rayonnait, visiblement heureuse, épanouie, dans cette atmosphère de beauté et de fêtes qu'elle aimait, et le contraste entre les deux époux frappait. La princesse d'Antioche, Constance, était menue et fine, et sa robe de soies polychromes tissée de grands oiseaux éclatants mettait en valeur sa blondeur.

Assis derrière elle, le seigneur de Malatya, son arrière-grand-père, la regardait et il en était fier. Lorsqu'il aperçut Hugues Bals, il lui fit de grands signes et Hugues ne put moins faire que de venir s'asseoir près de lui. Ils se connaissaient de si longue date ! Une amitié née dans les combats pour la prise d'Edesse – déjà ! – du temps de Tancrède et de ce renard de Baudoin ! Un si petit sire, fils de petit baron et pourtant devenu roi de Jérusalem !

Hugues avait envie de hausser les épaules en les regardant, tous ces nouveaux seigneurs qui se pressaient dans la tribune, fiers comme des paons dont ils avaient la chamarrure et parés de titres pompeux, sire de Tibériade, seigneur d'Outre-Jourdain, baron d'Arta, de Naplouse, de Montferrand ou de Ramla ! Combien d'entre eux étaient les fils de chevaliers sans sou ni maille, de cadets miséreux qui avaient débarqué là sans autre avoir que leur épée !

Les hérauts d'armes venaient de sonner le début du tournoi. Les chevaliers s'élançaient, lance baissée, heaume fermé, pour la première joute qui devait décider de qui combattrait qui en combat singulier.

Hugues s'en désintéressait. Il avait vu se dérouler tant de tournois depuis le temps où, jeune chevalier, il arborait avec fierté la première écharpe de sa première dame en bout de lance ! Et maintenant, s'il se rappelait encore un peu son visage, il fallait qu'il fasse un effort pour se souvenir de son nom... Ah, tout n'était que vanité en ce monde ! Ou peines ! Ou honte... Et comment expliquer que, nés du même sang, sortis du même ventre, son aîné, Hugues ait été ce modèle des chevaliers alors que son cadet, Raymond...

Le vieux Bals eut tout à coup un visage si contracté que le seigneur de Malatya qui l'observait lui demanda courtoisement :

– Êtes-vous souffrant, ami ?

Hugues sursauta et trouva que l'Arménien le regardait étrangement. Se pouvait-il qu'il sache, lui aussi ? Ah, vieux fou qu'il était ! Après que l'homme lui eut fait ces révélations maudites, n'aurait-il pas dû le tuer ou le forcer à quitter la ville ?

Une rumeur de foule le tira de réflexions amères. Il n'avait jusque-là rien regardé du tournoi. Pourquoi ce murmure qui, du peuple massé près du fleuve, gagnait les tribunes ?

Il leva les yeux et vit que le chevalier à l'écu sans blason venait de désarçonner son adversaire. Ce ne devait pas être le premier à en juger par l'ovation ! Hugues remarqua que, s'il montait un beau cheval, son armure, en revanche, était simple, presque pauvre et que personne autour d'eux ne semblait le connaître. Quelqu'un dit, assez haut :

– C'est un Arménien ! Il est de la suite de Malatya !

Hugues interrogea du regard le seigneur Gabriel. Un sourire rusé plissait encore un peu plus son visage ridé et lui donnait l'air d'un vieux singe malin.

– C'est vrai qu'il est de ma suite, fit-il à voix basse, en réponse au regard d'Hugues, et il monte un cheval que je lui ai prêté.

Dans la lice aux barrières ornées de branches vertes et de fleurs, le chevalier inconnu venait de désarçonner un dernier adversaire. Les trompettes sonnèrent pour le proclamer champion. Le vieux Bals en éprouva un pincement de cœur, presque une jalousie en songeant qu'autrefois c'était pour son aîné que ces mêmes trompettes sonnaient. Et, parce qu'il était mort, un inconnu sans blason et sans nom allait-il lui ravir sa renommée ?

Il le regarda sans bienveillance s'approcher de la tribune où la reine Aliénor, dans un élan enthousiaste qui faisait applaudir la foule, sourire le prince d'Antioche et froncer les sourcils du roi, tendait au chevalier vainqueur sa propre écharpe de mousseline verte brodée de faucons d'or.

Mais le vieux Bals ne parvint pas à le prendre en défaut ni de tenue ni d'usage. Son maintien était ce qu'il fallait, juste assez de raideur pour demeurer fier et assez de modestie pour ne pas paraître insolent. Il détachait son heaume lentement, le lançait au loin dans un geste à panache qui lui valait une nouvelle ovation et, redressant sa tête brune, descendait de cheval et s'agenouillait devant la reine qui lui passait l'écharpe au cou.

Le vieux Bals regardait, pétrifié, le visage de l'inconnu et il pensait : je deviens fou. Hugues est mort depuis dix-huit ans et, même s'il vivait, il ne serait plus ainsi ! Le soleil est trop fort, il trouble mes yeux ou ma raison !

Il passa, à deux reprises, la main sur son front comme lorsqu'on éprouve un éblouissement. L'Arménien, à ses côtés, ne perdait pas un de ses gestes.

Le prince d'Antioche, intrigué, demandait :

– Comment te nommes-tu ?

Le chevalier sourit et détachant son gant, montra son index droit où brillait un anneau :

– Voilà tout ce que je sais de ma naissance !

La reine Aliénor ne comprenait pas le haut-le-corps de son oncle ni le cri qui lui échappait :

– L'anneau de Zengi !

Moins encore pourquoi ce vieux chevalier si grand, vêtu d'un manteau tissé de fils d'argent et dont elle n'avait pas bien compris le nom lorsque, tout à l'heure, il avait baisé la main du roi, se dressait brusquement, s'avançait, chancelait et soudain s'affaissait.

Tandis que tout le monde s'empressait à le secourir et que les mots fatidiques couraient de bouche en bouche : l'anneau de Zengi... L'anneau de Zengi... un des chevaliers de la suite royale, Gauthier de Puybrun, s'efforçait de se souvenir.

Ces mots, il les avait déjà entendus, il en était certain. Mais où ? Mais quand ? Et dits par qui ?

CHAPITRE XV

ÉTIENNETTE

Ce soir-là, au palais du prince d'Antioche, se donnait une grande fête en l'honneur des souverains français.

Des parfums brûlaient avec des fumées bleues dans des cassolettes d'argent et les femmes semblaient flotter, nacrées dans la lumière irisée de centaines de lampes de verre émaillé, fileté, pointillé de petites perles...

Dans les jardins qui surplombaient l'Oronte, des jets d'eau jaillissaient de fontaines de marbre, dans des vasques à décor peint de bleu turquoise et de noir, près de grandes volières où dormaient des oiseaux chamarrés. Toutes les étoiles du ciel semblaient jetées à profusion pour décorer les portes et les murs, des centaines d'étoiles en ivoire, en ébène, en palissandre, en bois de violette et de citronnier.

Guillaume, étourdi de bruit, ébloui de fastes, entouré, fêté presque à l'égal des souverains de France, bousculé par des gens avides de le voir – et plus encore le fameux anneau ! – n'éprouvait de vraie joie que lorsqu'il levait les yeux sur le visage du seigneur de Bals.

Rayonnant, rajeuni, repoussant à demain les paroles noires, les révélations sur Raymond qu'il faudrait bien faire à son petit-fils, Hugues pensait : chaque chose en son temps ! Le paralytique, recouvrant brusquement par miracle l'usage de ses jambes, demande-t-il en premier à être chaussé ? Tout à sa joie, il marche sans s'occuper du caillou qui entaille son pied !

Et sa joie était si communicative qu'elle réchauffait le cœur de Guillaume. Lui non plus ne voulait pas songer à Raymond Bals – son oncle !

Au milieu de la foule des invités, le chevalier de la suite royale, Gauthier de Puybrun, continuait à chercher vainement dans sa mémoire : quand avait-il entendu parler de ce fameux anneau de Zengi ? Et il s'irritait de ne pas trouver !

Soudain, quelqu'un, passant près de lui, dit, continuant une conversation :

– Je priais saint Trophime d'Arles...

Et Gauthier se souvint.

Il y avait dix-huit ans, il revenait d'un séjour en Terre sainte et il avait pris place sur un bateau de pèlerins – de bien pauvres gens pour la plupart.

Installée sur le pont sans qu'on puisse l'en faire bouger, une femme jeune, aux yeux étranges, fixait la mer d'un regard de folle et répétait à longueur de jour les mêmes phrases. Cela commençait par :

– Je priais saint Trophime d'Arles pour qu'il ne se réveille pas...

Et il était question d'un enfant qu'elle avait barbouillé de sang pour qu'on le croie mort et d'un anneau qu'on lui avait confié, l'anneau de Zengi...

L'enfant était, à n'en pas douter, celui qu'elle serrait contre elle, un très petit enfant ; tous deux avaient sans doute échappé à quelque massacre où avait sombré sa raison.

Les pèlerins du bateau se détournaient d'elle. Elle leur faisait peur avec sa voix monocorde, ses quatre phrases toujours semblables comme une litanie de mort ! On ne pouvait rien lui tirer d'autre. Ni d'où elle venait, ni où elle allait – elle parlait la langue du Midi, c'était tout. Son esprit flottait. Et quand elle était morte juste après l'escale de Chypre et qu'on avait jeté son corps à l'eau, les autres pèlerins s'étaient sentis soulagés. Une femme, prise de pitié, avait allaité l'enfant orphelin en même temps que le sien.

Celle-là, Gauthier se la rappelait tout à coup très bien : une grande femme brune, rieuse, qui vous fixait d'un air hardi, un nourrisson sur chaque bras et demandait : “Lequel des deux, selon vous, est à moi ?” Son mari et elle étaient de pauvres gens qui étaient partis en Terre sainte avec l'espoir inavoué d'y faire fortune en sauvant leur âme ! Ils s'en revenaient chez eux tout aussi pauvres ! Ils habitaient en Aquitaine.

Dans le palais du prince d'Antioche, on buvait des vins grecs dans des coupes décorées de lotus et d'oiseaux, et les femmes portaient des bijoux en émaux translucides et en cristal de roche à pendeloques d'or.

Et Gauthier de Puybrun se disait : Quelle étrange chose, la mémoire ! Pendant dix-huit années, il n'avait pas accordé une pensée à ces deux femmes, la folle et la rieuse, oublié le bateau et presque tous les détails de ce premier séjour qu'il avait fait en Terre sainte comme page de son cousin Archambault qui était grand écuyer du comte de Tripoli.

Oui, une étrange chose. Et gênante ! Bien qu'il soit irritant d'essayer de se rappeler sans y parvenir, il aurait presque préféré que tout reste brouillé ! Devait-il, à présent qu'il se souvenait, avertir le vieux seigneur de Bals qui était là, radieux aux côtés de son petit-fils retrouvé par miracle ?

Ils étaient tous deux tellement entourés que Gauthier ne savait comment les approcher. Il n'était pas bavard, avait même horreur de parler. Quelle affaire !

Et quelle mouche aussi l'avait piqué de revenir en Terre sainte, de se croiser, à quarante ans passés ? Il était venu se battre, non faire le doux cœur et l'énamouré dans un palais rempli de parfums et de femmes, à se croire chez les Turcs !

Gauthier de Puybrun s'approcha de Guillaume, et récita d'un trait :

– Je vous ai vu sur le bateau, tout enfant avec la femme qui vous avait sauvée, elle était folle et elle est morte avant la fin de la traversée.

Guillaume crut d'abord que le fou, c'était ce chevalier. Il se força à la courtoisie :

– Je ne comprends pas. Pourriez-vous me raconter l'histoire avec plus de détails ? Je vous en saurai gré !

Avec un soupir rentré, Gauthier de Puybrun entreprit le récit de sa première venue en Terre sainte, dix-huit années auparavant, auprès de son cousin Archambault qui était grand écuyer du comte de Tripoli et de son retour sur un bateau de pèlerins où une femme aux yeux de folle...

Et il soufflait entre les mots et souffrait davantage et bataillait plus que dans aucun combat ! Hugues Bals s'était approché, et, tout ému, demanda :

– Cette femme folle, pourriez-vous me la décrire ?

Gauthier essaya. Il se rappelait mieux l'autre, la rieuse, mais enfin, il tenta de faire le portrait qu'on lui demandait. Sans fioritures, suffisant toutefois pour que le vieux seigneur de Bals reconnaisse en cette pauvre déraisonnante la petite Étiennette des Baux qui était partie avec Rémy son époux au service de son fils Hugues lorsqu'il s'était marié. Le Syrien n'avait pas menti ! Elle avait donc survécu ! Avait-elle pensé que l'anneau servirait à l'enfant un jour ? Hugues le lui avait-il confié avant de mourir ? On ne le saura jamais.

Il dit tout haut :

– C'est une chance que cet anneau n'ait pas été volé, étant donné son grand prix...

– Je ne me souviens pas, dit Gauthier que personne y ait beaucoup prêté attention. Peut-être parce que l'autre femme, celle d'Aquitaine, le croyait faux. Elle disait en riant : "Deux bouts de verre dans du cuivre ! Pauvre petit, sa fortune ne pèse pas lourd !"

Guillaume regardait l'anneau dont les deux pierres brillaient à son doigt, l'étoile du roi mage à côté du croissant du Prophète. Toute son histoire se déroulait autour de lui, comme sur les fresques des églises ou les tapisseries des châteaux. Avec ses personnages brodés ou peints, Arnaud de Craon et Bérard-le-Rouge, le drapier Géraud, Jean-le-Rat, le seigneur brigand de Merle, Isaut en bliaud vert, aux yeux couleur d'étang, la Dômerie d'Aubrac et la chanson d'Edesse, Brune-la-Blonde au rire gai et Raymond Bals au regard cruel d'épervier. Et, les dominant tous, comme taillée dans la pierre, à la façon de l'Isaïe du Catalan, la haute silhouette de Bertrand.

Une seconde, le cœur de Guillaume se serra.

Dans le palais d'Antioche, où le bruit de la fête ressemblait au bruit d'une eau qui court, dans la lumière un peu verte qui rappelait le Rhône, au moment de l'adieu, il se répéta la phrase de Bertrand : – "Nous nous reverrons dans ton château des Baux, seigneur de Bals, et je sculpterai pour toi la plus belle statue qui soit !"

Et il sourit : un jour prochain, ce serait vrai.

Si tu as aimé
ce livre de la collection Roman
découvre cet extrait de

Le cavalier

de Jacqueline Mirande

[…]

Jean-Baptiste acheva d'assembler les fagots de sarments et se hâta de les charger sur le dos de la mule. Le jour tombait vite — on était fin novembre — et le brouillard s'épaississait. On ne distinguait déjà plus les maisons du village de Vaugirard. À peine devinait-on les contours de la forêt vers Sèvres et Meudon.

Il était temps qu'il se mette en route s'il voulait que la mule arrive à bon port avec son chargement ! Non qu'elle fût plus têtue ou plus capricieuse qu'une autre, cette pauvre Barbette, mais vieille, voilà le mal ! et, du coup, presque aveugle ! Empruntée, qui plus est, au voisin Seurot, un homme qui ne badinait pas !

La guider jusqu'à la rue Guisarde, au cœur de Saint-Germain-des-Prés, ne serait pas une mince affaire, avec ce gros brouillard qui se prolongerait au-delà des portes, sûr et certain ! Plus l'habituel embarras de Paris et, pour finir, l'obscurité ! La lanterne récemment accrochée à l'angle de la rue du Four n'éclairait guère les parages de la boutique !

Il n'aurait pas dû tant s'attarder à assembler ces maudits sarments ! Mais Anne-Françoise Floche avait besoin de bois, et celui-ci, même s'il était encore trop vert pour bien brûler, ne lui coûterait rien : la vigne lui appartenait. Autant les emporter avant que passe un maraudeur !

Les temps étaient durs pour tous. Cette guerre qui avait duré sept ans s'était mal terminée. Ajoutée aux disettes de ces deux dernières années, au roi, qui, à Versailles, laissait tout aller — enfin, on le murmurait… Vieux, lui aussi. Comme la mule Barbette !

Jean-Baptiste ajusta en soupirant le dernier fagot. Pour une autre qu'Anne-Françoise, jamais il n'aurait accepté de faire ce travail de manouvrier. Il était commis de boutique et non gagne-denier. Il avait eu quatorze ans à la Saint-Michel, et il n'était plus un apprenti auquel on ordonne : « Eh, petit, balaie la boutique ! » ou « Cours me chercher un chou pommé chez la marchande d'herbes ! » ou « Va-t'en m'acheter une pinte de vin ! »

Trois ans déjà depuis qu'à la Toussaint il était entré comme aide-commis chez maître Sébastien Floche, l'époux d'Anne-Françoise, alors marchand drapier, rue Guisarde, à l'enseigne des *Ciseaux d'argent*. Une boutique étroite et sombre où se vendaient plus de tiretaine et de droguet que de satins ou de velours. Des gris, des bruns, des noirs, tristes à l'œil et rêches à la main. Il n'y avait d'un peu gai que les indiennes de Corbeil avec leurs impressions garance ou indigo. Allez donc rêver d'aventures au milieu de ça !

Si seulement il avait pu entrer chez le marchand d'épices de la rue du Sabot ! Les odeurs de cannelle, de girofle, de poivre, de vanille embaumaient le quartier. Rien qu'à les renifler, Jean-Baptiste se voyait déjà sur un grand vaisseau partant pour les Isles, ou voguant vers ces terres lointaines qui portaient de si beaux noms : les Indes, la Louisiane, le Mississippi…

[…]